O OCULTISMO PRÁTICO E AS ORIGENS DO RITUAL NA IGREJA E NA MAÇONARIA

H. P. Blavatsky

O OCULTISMO PRÁTICO E AS ORIGENS DO RITUAL NA IGREJA E NA MAÇONARIA

Tradução de
Hugo Mader
e
Dulce do Amaral

Editora Pensamento
SÃO PAULO

Texto de acordo com as novas regras ortográficas da língua portuguesa.
1ª edição 2009.
3ª reimpressão 2017.

Originalmente publicado em dois volumes: *Ocultismo Prático* e *As Origens do Ritual na Igreja e na Maçonaria*.

Dados Internacionais de Catalogação na Publicação (CIP)
(Câmara Brasileira do Livro, SP, Brasil)

Blavatsky, H. P.
O ocultismo prático e as origens do ritual na Igreja e na maçonaria / H. P. Blavatsky ; tradução de Hugo Mader e Dulce do Amaral. – São Paulo: Pensamento, 2009.

Título original: Practical occultism and occultism versus the ocult arts.
ISBN 978-85-315-1599-6

1. Igreja – Rituais 2. Maçonaria – Ritual 3. Ocultismo 4. Ritos e cerimônias I. Título.

09-08650 CDD-299.934

Índices para catálogo sistemático:
1. Ocultismo e teosofia 299.934
2. Teosofia e ocultismo 299-934

EDITORA PENSAMENTO-CULTRIX LTDA.
Rua Dr. Mário Vicente, 368 — 04270-000 — São Paulo, SP
Fone: (11) 2066-9000 — Fax: (11) 2066-9008
E-mail: atendimento@editorapensamento.com.br
http://www.editorapensamento.com.br
Foi feito o depósito legal.

Índice

Advertência aos estudantes

São muitas as pessoas interessadas em adquirir conhecimentos práticos a respeito do ocultismo. Faz-se necessário, todavia, esclarecer de uma vez por todas:

(a) a diferença essencial entre o ocultismo prático e o teórico; ou entre o que geralmente se conhece por teosofia, de um lado, e ciências ocultas, de outro, e:

(b) a natureza das dificuldades que o estudo desta última apresenta.

É fácil tornar-se um teosofista. Qualquer pessoa de inteligência mediana e certa inclinação para o metafísico, qualquer pessoa pura e generosa, que sente mais alegria em ajudar ao próximo do que em receber ela própria alguma ajuda, que está sempre pronta a sacrificar os próprios prazeres em benefício dos outros, que ama a verdade, a bondade e a sabedoria pelo que elas significam em si mesmas e não pelas vantagens que se pode obter delas – essa pessoa é um teosofista.

Outra coisa inteiramente diversa, porém, é a pessoa decidir-se a trilhar a caminho que conduz ao conhecimento do que é bom, assim como à distinção perfeita entre o bem e o mal; esse caminho também leva o homem à faculdade de fazer o bem que deseja, na maioria dos casos sem precisar, aparentemente, mover um dedo sequer.

Além disso, há um ponto importante do qual o estudante deveria estar inteirado. Trata-se da enorme e quase ilimitada responsabilidade que o mestre deve assumir em face do aluno. Sejam os gurus do Oriente, que ensinam aberta ou secretamente, sejam os poucos cabalistas que, no Ocidente, tomam a si a tarefa de ensinar os rudimentos da ciência sagrada aos seus discípulos – esses hierofantes ocidentais, quase sempre ignorantes do risco que correm –, todos esses "professores" estão sujeitos a uma lei única e inviolável. A partir do momento em que passam realmente a ensinar, a partir do instante em que outorgam qualquer poder – seja ele psíquico, mental ou físico – aos seus alunos, chamam para si, de acordo com os princípios das ciências ocultas, todos os pecados que possam trazer os referidos alunos, sejam eles de abuso ou de negligência, até o momento em que a iniciação fizer do discípulo um Mestre, tornando-o responsável por sua vez. Há uma lei religiosa, envolta em mistério e misticismo, bastante reverenciada pelos gregos, sobre os quais exercia poderosa influência, semiesquecida pelo catolicismo romano e completamente abolida pela Igreja Protestante. Data ela dos primeiros tempos do Cristianismo e possui o seu fundamento na lei há pouco mencionada, da qual se constitui em símbolo e expressão. Trata-se do dogma da santidade absoluta que se deve verificar nas relações entre os padrinhos de uma criança.[1] Estes últimos assumem deliberadamente todos os pecados da criança recém-batizada (misteriosa semelhança: a criança é ungida como na iniciação!) até o dia em que ela se transformar num ser responsável, capaz de distinguir o bem do mal. Torna-se claro, assim, o motivo pelo qual os "professores" são tão reticentes e por que se exige dos "chelas" que passem por uma provação de sete anos a fim de demonstrarem a sua aptidão e desenvolverem as qualidades necessárias tanto à sua própria segurança quanto à do Mestre.

Ocultismo não é magia. *Relativamente*, é mais fácil aprender os truques de feitiçaria e os métodos de utilização das forças insondáveis, mas nem por isso menos concretas, da natureza física; os poderes da alma animal que há no homem são logo despertos; as forças que o amor, o ódio e a paixão são capazes de ativar, exacerbam-

1. A relação que assim se estabelecia era considerada tão sagrada pela igreja grega, que o casamento entre padrinhos de uma mesma criança era encarado como a pior espécie de incesto, considerado ilegal e invalidado pela lei; essa proibição absoluta estendia-se até mesmo aos filhos de um dos padrinhos em relação aos filhos do outro padrinho.

se facilmente. Isso, no entanto, é magia negra – *feitiçaria*, pois é a intenção, *unicamente* a *intenção*, que determina se uma demonstração de poder constitui magia negra e maléfica ou magia branca e benéfica. O emprego das forças *espirituais* torna-se impossível para aquele que guarda dentro de si algum vestígio de egoísmo, por menor que seja. Se a intenção não for inteiramente legítima, portanto, o elemento espiritual converter-se-á em psíquico, afetando o plano astral e podendo trazer as consequências mais terríveis. Os poderes e as forças da natureza animal podem ser usados tanto pelo egoísta e vingativo quanto pelo altruísta e misericordioso; os poderes e as forças espirituais são concedidos somente àqueles que possuem o coração inteiramente puro – e nisso consiste a MAGIA DIVINA.

Quais são, então, os requisitos que se exigem do estudante da "Divina Sapientia"? Pois é preciso ressalvar que nenhuma instrução surtirá efeito se o estudante não aceitar e não observar rigorosamente, durante o período de estudos, certo número de requisitos. Trata-se de uma condição *sine qua non*. Ninguém pode aprender a nadar sem antes se aventurar em águas profundas. Pássaro algum pode voar sem que as asas estejam crescidas, sem que haja espaço ou coragem para lançar-se ao voo. Aquele que deseja manejar uma faca de dois gumes deve antes tornar-se um mestre completo no manejo da faca sem corte, se não quiser ferir a si próprio ou – o que é pior – aos outros, na primeira tentativa.

Para dar uma ideia aproximada das condições indispensáveis para que o estudo da Sabedoria Divina seja conduzido em segurança, ou seja, sem que haja risco de a magia divina dar lugar à negra, apresentaremos algumas das "regras reservadas" familiares a todos os instrutores orientais. As poucas passagens que seguem foram escolhidas dentre inúmeras outras e a sua explicação encontra-se entre parênteses.

1. O local escolhido para ministrar os ensinamentos não deve favorecer a distração da mente; por outro lado, deve conter objetos de "influência expansiva" (magnética). As cinco cores sagradas, entre outras coisas, devem estar presentes no local, reunidas num círculo. O ambiente precisa estar livre de quaisquer influências maléficas que possam pairar no ar.
   (O local precisa ser isolado e não deve ser usado para qualquer outro fim. As cinco "cores sagradas" são as cinco cores prismáticas dispostas numa dada ordem, visto serem elas bastante magnéticas. Por "influências maléficas" são compreendidas as perturbações causadas por disputas, rixas, sentimentos nocivos, etc., porquanto é dito que afetam imediatamente a luz astral, ou seja, a atmosfera local, e ficam "pairando no ar". Este primeiro requisito parece ser bastante fácil de satisfazer – uma consideração mais detida, porém, revela ser ele um dos mais difíceis.)

2. Antes que o discípulo seja autorizado a enfrentar-se "cara a cara" com o estudo, terá que adquirir noções preliminares na companhia seleta

de outros *upasaka* (discípulos) leigos, cujo número deve ser ímpar.

("Cara a cara" significa, na passagem em questão, um estudo realizado independentemente ou separadamente dos outros, quando o discípulo recebe os ensinamentos "cara a cara" consigo mesmo [com o seu Eu superior, divino] ou com o seu guru. Só então é que os discípulos recebem cada um a *sua quota* de informação, segundo o uso que fizeram de seu saber. Isso ocorre apenas quando se aproxima o fim do ciclo de lições.)

3. Antes que você (o professor) participe ao seu *Lanu* (discípulo) as boas (sagradas) palavras de LAMRIN ou permita que ele "arranje" o *Dubjed*, deverá cuidar para que a sua mente esteja purificada e em paz com tudo que o cerca, especialmente com os *outros eus*. Se assim não for, as palavras da Sabedoria espalhar-se-ão e serão levadas pelo vento.

("Lamrin" é uma obra de Tson-kha-pa destinada à instrução prática, dividida em duas partes, uma para uso eclesiástico e exotérico, a outra para uso esotérico. "Arranjar" o *Dubjed* é preparar os recipientes para a adivinhação, tais como espelhos e cristais. "Outros eus" refere-se aos demais companheiros de estudo. Se não reinar a mais completa harmonia entre os aprendizes, nenhum sucesso poderá ser alcançado. Cabe ao professor selecionar os estudantes levando em conta a natureza magnética e elétrica de cada um, reunindo e acomodando cuidadosamente os elementos positivos e negativos.

4. Durante o estudo, os *upasaka* devem se manter unidos como os dedos de uma mão. Você deverá gravar na mente deles que tudo quanto possa ferir um deles, ferirá os demais; e se o regozijo de um deles não produzir qualquer eco no seio dos demais, estarão ausentes as condições exigidas e será inútil prosseguir.
(Se a seleção preliminar levou em conta as exigências magnéticas, isso dificilmente acontecerá. Por outro lado, sabe-se que muitos *chelas* promissores e preparados para receberem a verdade tiveram, dado o seu temperamento e a impossibilidade que sentiam de entrarem em harmonia com os seus companheiros, de esperar muitos anos ainda, pois –

5. Os condiscípulos devem ser afinados pelo guru como as cordas de um alaúde (*vina*): embora cada uma delas seja diferente da outra, são capazes de emitir sons em total harmonia. Coletivamente, devem ser como um teclado, respondendo cada um deles ao seu mais leve toque (o toque do Mestre). Desse modo, as mentes deles estarão abertas e as harmonias da Sabedoria poderão vibrar feito conhecimento por todos e cada um, produzindo efeitos agradáveis aos deuses invocados (anjos da guarda ou

anjos padroeiros) e úteis ao Lanu. Assim, a Sabedoria será gravada para todo o sempre no coração deles e a harmonia da lei jamais será quebrada.

6. Aqueles que desejam adquirir o saber acerca dos *Siddhis* (forças ocultas) devem renunciar a todas as pompas da vida e do mundo (segue-se a enumeração dos Siddhis).

7. Ninguém pode se gabar da diferença que o separa dos demais companheiros de estudo – "Eu sou o mais sábio", "Eu sou o mais puro e agrado mais ao professor e à comunidade que o meu irmão", etc. – e ainda assim considerar-se um *upasaka*. O pensamento deve estar voltado antes de tudo para o próprio coração, a fim de expulsar dali o menor pensamento de hostilidade contra qualquer ser vivo. Ele (o coração) deve estar pleno de sentimentos de sua não separação do resto dos seres e de tudo quanto existe na natureza; caso contrário, nenhum sucesso será alcançado.

8. Um *Lanu* deve se precaver contra as influências externas atuantes (emanações magnéticas das criaturas vivas). Por essa razão, estando a sua *natureza interior* em harmonia com tudo o que existe, deve cuidar de separar o seu corpo exterior (externo) de qualquer influência que não seja genuína: ninguém mais, além dele, deve beber ou comer em sua tigela. Deve-se

evitar o contato corporal (isto é, tocar ou ser tocado) tanto com o ser humano, quanto com os animais.
(Não é permitido possuir qualquer animal de estimação, sendo proibido até mesmo tocar certas árvores e plantas. O discípulo tem que viver, por assim dizer, na sua própria atmosfera, a fim de individualizá-la para os propósitos ocultistas.)

9. A mente deve permanecer vedada a tudo o que não sejam as verdades universais da natureza, a fim de que a "doutrina do coração" não dê lugar à mera "doutrina do olho" (isto é, um ritualismo exotérico vazio).

10. O discípulo não deve consumir nenhum alimento de origem animal, seja de qualquer espécie, nada que possui vida em si. Nem vinho, nem bebidas alcoólicas, nem ópio, pois tais substâncias são como os *Lhamaym* (espíritos do mal) que se apossam do incauto – elas devoram o entendimento.
(Acredita-se que o vinho e o álcool contêm e preservam em si o mau magnetismo daqueles que os fabricaram; que a carne dos animais preserva as características psíquicas da espécie correspondente.)

11. A meditação, a abstinência, o cumprimento dos deveres morais, os pensamentos nobres, as

boas ações e as palavras gentis, assim como a disposição necessária para o perfeito e total esquecimento do Eu são os meios mais eficazes para se alcançar o saber e receber a Sabedoria superior.

12. Somente pelo cumprimento rigoroso das regras precedentes é que um *Lanu* pode esperar alcançar em boa hora os Siddhis dos Arhats, o aperfeiçoamento gradual que o leva a tornar-se Uno com o TODO UNIVERSAL.

Essas 12 passagens foram extraídas de umas 73 regras, as quais seria inútil enumerar, já que são incompreensíveis no Ocidente. Essas poucas, entretanto, bastam para dar uma ideia das enormes dificuldades que se estendem pelo caminho daquele que, tendo nascido e crescido no Ocidente, pretende tornar-se um "Upasaka".[2]

A instrução ministrada no Ocidente, especialmente a inglesa, baseia-se toda ela no princípio da emulação e da disputa; todas as crianças são estimuladas a aprender mais depressa a fim de superar os seus colegas e sobrepujá-los de qualquer maneira. A assim chamada "rivalidade amigável" é amplamente cultivada, sendo o seu espírito incensado e reforçado em todos os aspectos da vida.

---

2. Recorde-se que todos os "chelas", até mesmo os discípulos leigos, são chamados Upasaka até completarem o primeiro estágio do noviciado, quando então passam a ser chamados Lanu-Upasaka. Até esse dia, são considerados leigos, o mesmo valendo para aqueles que se acham ligados aos Lamas e vivem *à parte*.

"Instruído" segundo tais ideias desde a infância, como esperar que um ocidental se sinta "como os dedos de uma mão" em face de seus companheiros de estudo? Estes, por sinal, não são sequer objetos da sua própria escolha, nem por ele eleitos em função da estima e da simpatia pessoal. São escolhidos pelo professor segundo critérios muito diversos, quando um estudante deveria, *antes de tudo,* ser forte o suficiente para eliminar do seu coração todo e qualquer sentimento de aversão e antipatia pelos outros. Quantos ocidentais estão preparados para tentar isso com seriedade?

Ao lado disso, os pormenores da vida cotidiana, o preceito de não tocar sequer a mão daquele que nos é mais caro e querido... Quão opostos aos padrões ocidentais da afeição e dos bons sentimentos! Quão frios e insensíveis parecem eles! E egoístas também, diriam, deixar de proporcionar prazer aos outros para favorecer o próprio desenvolvimento. Bem, deixemos aqueles que assim pensam adiarem para a outra vida a resolução de se porem a caminho com total seriedade. Não deixemos, porém, que se gabem de sua suposta generosidade. Pois na verdade aquilo que admitem ser a causa de suas decepções não passa de aparências, de ideias feitas, calcadas no sentimentalismo e na efusão, ou na chamada cortesia, falsos valores, não os ditames da verdade.

Todavia, mesmo deixando de lado essas dificuldades, que podem passar por "exterioridades", não sendo por isso menos importantes, como poderiam os estudantes ocidentais "entrar em sintonia" com o estado de harmonia que se lhes exige aqui? O individualismo alastrou-se com tal força pela Europa e pela América, que já não há escola de artistas cujos membros não sintam ódio ou inveja uns pelos outros. A rivalidade e a competição "profissional" chegaram a se tornar proverbiais; os homens perseguem os seus próprios interesses a qualquer custo e mesmo as chamadas cortesias da vida não passam de máscaras sob as quais se escondem estes demônios do rancor e da inveja.

No Oriente, o espírito da não separação é apregoado desde a infância, com a mesma tenacidade com que se destila o espírito de rivalidade no Ocidente. A ambição pessoal, os sentimentos e desejos pessoais não são, como aqui, incentivados a um crescimento tão desenfreado. Quando a terra é boa por natureza, ela se presta ao bom cultivo, e a criança transforma-se num homem para quem a subordinação do Eu inferior ao Eu superior tornou-se hábito sólido e arraigado. No Ocidente, as pessoas pretendem que a sua simpatia ou antipatia pelos outros e pelas coisas é que deve ditar o seu modo de agir, quando nem mesmo elas vivem segundo tais princípios e ainda procuram impô-los aos outros.

Para aqueles que se queixam de pouco terem aprendido na Sociedade Teosófica, deixemos que as palavras que se seguem, tiradas de um artigo publicado em *Path*, calem fundo no coração deles: "A chave de tudo, a cada passo, é *o próprio aspirante*". Não é o "temor a Deus" que consiste no "início da Sabedoria", mas sim o conhecimento do EU, que é SABEDORIA EM SI.

Assim, o estudante do ocultismo que começou a perceber algumas das verdades precedentes poderá admirar a majestade e a verdade contidas na resposta dada pelo Oráculo Délfico a todos aqueles que buscam a Sabedoria oculta – palavras ditas repetidas vezes, sempre e novamente, pelo sábio Sócrates: HOMEM, CONHECE-TE A TI MESMO...

Ocultismo *versus* Ciências ocultas

"I oft have heard, but ne'er believed till now,
There are, who can by potent magic spells
Bend to their crooked purpose Nature's laws."

MILTON

Em tradução literal:

"Sempre ouvi falar, mas jamais acreditara até então,
Pessoas há que, por meio de poderosas fórmulas mágicas,
Dobram aos seus vis desígnios as leis da Natureza."

Na seção "Correspondência" deste mês, inúmeras cartas testemunham o forte impacto causado pelo nosso último artigo mensal, "Ocultismo prático". Tais cartas contribuem para provar e reforçar duas conclusões lógicas.

(a) Há mais pessoas bem-educadas e bem-pensantes que creem na existência do ocultismo e da magia (cuja diferença é enorme) do que supõe o materialista moderno; e
(b) A maioria dos crentes (incluindo muitos teosofistas) não tem uma ideia muito clara da natureza do ocultismo, confundindo-o com as ciências ocultas de modo geral e até mesmo com a "magia negra".

As imagens que fazem dos poderes que o ocultismo confere aos homens e dos meios necessários para obtê-los são tão variadas quanto fantasiosas. Alguns imaginam que, para indicar o caminho, um mestre tem de mostrar tudo o que se espera ver em um Zanoni, por exemplo. Outros acham que basta atravessar o Canal de Suez e chegar até a Índia para se sentirem imediatamente revigorados, como um Roger Bacon ou até mesmo um Conde de St. Germain. Margrave e a sua juventude eterna é o modelo de muitos, que não levam em conta, porém, que ele teve de pagar com a alma por isso. Não poucos, confundindo pura e simplesmente a feitiçaria com o ocultismo – "através da terra dilacerada, subi, fantasmas descarnados das trevas, para as regiões luminosas" – desejam, com base nessa proeza, ser tomados por adeptos calejados. A "magia cerimonial", conforme as regras irreverentemente preconizadas por

Eliphas Lévi, constitui outro *alter ego* imaginário da filosofia dos Arhats da antiguidade. Em resumo, os prismas através dos quais o ocultismo se mostra para esses inocentes da filosofia são tão numerosos e multicoloridos quanto pode a fantasia humana pintá-los.

Seria muito forte a indignação de tais candidatos ao poder e à sabedoria se lhes fosse dita a verdade pura e simples? Desenganá-los, antes que seja tarde, é algo não apenas conveniente, mas *necessário*. Essa verdade pode ser expressa em poucas palavras: não há, no Ocidente, sequer meia dúzia de pessoas, dentre os milhares de fervorosos que se intitulam ocultistas, que tenha uma noção sequer próxima da verdade quanto à natureza da ciência da qual procuram se assenhorear. A não ser umas poucas exceções, caminham todos em direção à bruxaria. Antes de contestarem essa verdade, esperamos que eles estabeleçam alguma ordem no caos que reina nas suas mentes. Esperamos que aprendam, primeiro, a verdadeira relação entre ciências ocultas e ocultismo e a diferença entre ambas, para então se sentirem irados e pensarem que ainda estão certos. Enquanto isso, esperamos que aprendam que o ocultismo está para a magia e para as demais ciências secretas como o esplendor do Sol para uma débil luz de vela, assim como o imutável e imortal Espírito do Homem – reflexo do TODO absoluto, incriado e incognoscível – está para o barro perecível – o corpo humano.

No Ocidente altamente civilizado, que assiste ao surgimento de modernas linguagens e à criação de novas palavras sob o influxo das novas ideias e pensamentos – como ocorreu com todas as línguas –, quanto mais estes últimos se concretizam na atmosfera fria do egoísmo ocidental e da sua incessante corrida aos bens deste mundo, menos se sente a necessidade de criar novos termos para expressar aquilo que se considera explicitamente uma "superstição" ultrapassada. Tais palavras somente poderiam corresponder a ideias que um homem culto não admite abrigar na sua mente.

"Magia", sinônimo de embuste; "feitiçaria", um equivalente para a ignorância crassa; "ocultismo", por fim, a triste herança de filósofos perturbados da Idade Média, dos Jacob Boehme e São Martinho – essas expressões são consideradas mais do que suficientes para cobrir todo o domínio da "falcatrua". São expressões de desdém, em geral usadas apenas para se referir aos resíduos e detritos de eras sombrias e aos períodos de paganismo. Por essa razão, a nossa língua não possui termos para definir e matizar a diferença entre os poderes paranormais e as ciências a eles relacionados com a mesma precisão que é possível encontrar nas línguas orientais – especialmente no sânscrito. O que significam palavras como "milagre" e "feitiço" (palavras de idêntico significado, afinal de contas, uma vez que ambas expressam a ideia de se produzir o maravilhoso a partir da *transgressão das leis da natureza* [!!], como explicam as autoridades reconhecidas) para aqueles que as ouvem ou pronunciam? Um cristão acreditará piamente em *milagres* (não obstante sejam contrários às leis da natureza), posto que se diz terem sido produzidos por Deus por intermédio da pessoa de Moisés; no entanto, negará com veemência os feitiços produzidos pelos mágicos do Faraó ou os atribuirá ao demônio. É este último que os nossos pios inimigos associam ao ocultismo; os ímpios, por sua vez, os infiéis, estes riem de Moisés, dos mágicos e dos ocultistas e sentir-se-iam envergonhados de refletir seriamente acerca de semelhantes "superstições". Isso porque não existem termos capazes de expressar a diferença, nem palavras para designar a luz e a sombra e assim estabelecer a fronteira entre o sublime e a verdade e o absurdo e ridículo. Como estes últimos são as interpretações teológicas que defendem a "transgressão das leis da natureza" pelo homem, por Deus ou pelo diabo; como os primeiros são os "milagres" *científicos* e os feitiços produzidos por Moisés e pelos mágicos *em conformidade com as leis naturais*, segundo conhecimentos que lhes foram transmitidos pela sabedoria dos santuários – que constituíam as "Sociedades Reais" daquela época – e pelo verdadeiro OCULTISMO. Esta última palavra certamente se presta a equívocos, traduzida que foi da palavra composta *Gupta-Vidya*, "conhecimento secreto". Conhecimento de quê, entretanto? Algumas palavras sânscritas podem nos ajudar.

Há quatro nomes (entre muitos outros) para designar as várias espécies de conhecimentos ou ciências esotéricas ou mesmo os exotéricos Puranas. São elas: (1) *Yajna-Vidya,*[3] conhecimento das forças ocultas que

---

3. "*O Yajna*", afirmam os Bramas, "existe desde a eternidade, pois se origina diretamente do Supremo... junto de quem repousa adormecido desde a "não origem". Constitui a chave para a TRAIVIDYA, a tripla ciência sagrada que, contida nos versos Rig, fornece a chave dos Yagas, ou mistérios sacrificiais. "O Yajna" existe invisivelmente desde sempre; ele é como a eletricidade estática que se acumula numa máquina elétrica, necessitando-se apenas um aparelho adequado para eliminá-la. Acredita-se que ele se estende do *Ahavaniya*, ou fogo sacrificial, até aos céus,

podem ser despertadas na natureza a partir de certas cerimônias e ritos religiosos; (2) *Mahavidya*, ou "magnífico conhecimento", a magia dos cabalistas e das seitas *Tantrika*, quase sempre feitiçaria da pior espécie; (3) *Guhya-Vidya*, conhecimento das forças místicas que habitam o som (éter), presentes, por conseguinte, nos mantras (preces e ladainhas cantadas), segundo o ritmo e a melodia usados; em outras palavras, um espetáculo de magia baseado no conhecimento das forças da natureza e em sua correlação; e (4) ATMA-VIDYA, palavra cuja tradução é simplesmente "conhecimento da alma", *verdadeira Sabedoria* segundo os orientalistas, mas cujo significado é muito mais amplo do que esse.

Esta última é a única modalidade de ocultismo que os teosofistas, aqueles que se consideram admiradores da "Luz no Caminho" (*Light on the Path*), que se querem sábios e altruístas, deveriam se esforçar por obter. Tudo o mais não passa de um ramo ou outro das "ciências ocultas", ou seja, métodos que visam ao conhecimento da essência última de tudo quanto existe no reino da natureza – como os minerais, as plantas, os animais; logo, dos fatos que dizem respeito ao domínio da natureza *material*, por mais que tal essência continue invisível e escape à compreensão da ciência. A alquimia, a astrologia, a fisiologia oculta, a quiromancia, existem na

---

formando uma ponte ou arco por meio da qual o sacrificador pode se comunicar com o mundo dos deuses e dos espíritos, ou mesmo ascender por ele até a sua morada". Martin Haug, *Aitareya Brahmana*.

"Este *Yajna* é uma das novas formas sob as quais se apresenta o Akasa; e a palavra mística que o invoca, pronunciada mentalmente pelo Sacerdote, é a *Última palavra*, sendo o seu impulso derivado da FORÇA DE VONTADE". (*Ísis sem véu*", vol. 1, Intr., Cf. *Aitareya Brahmana*, Haug.)

natureza, sendo que as ciências exatas – assim chamadas porque nessa época de filosofias paradoxais talvez elas constituam o exato reverso disso – já reconheceram vários dos métodos acima relacionados. Mas a clarividência, simbolizada na Índia pelo "Olho de Shiva" ou denominada "Visão Infinita", no Japão, não se confunde com o hipnotismo, rebento bastardo do mesmerismo, e não pode ser obtida por meio de métodos como esses. Outros métodos ainda poderão ser desenvolvidos e proporcionar alguns resultados, sejam bons ou ruins; são, no entanto, de pouco valor do ponto de vista da *Atma-Vidya*, que abrange a todos, podendo até mesmo recorrer a eles ocasionalmente para propósitos benéficos, não sem antes purificá-los de suas impurezas e despojá-los de qualquer motivação egoísta. Para ser mais claro: qualquer homem ou mulher pode se dedicar ao estudo de um ou de todos os "métodos ocultos" acima especificados sem para isso contar com alguma espécie de preparo muito complexo, ou mesmo sem precisar adotar uma disciplina por demais rígida. Poder-se-ia até mesmo prescindir de princípios sublimes de moralidade. Admitindo-se essa hipótese, poderíamos antecipar que um entre dez estudantes acabaria por se transformar num feiticeiro até mesmo decente... e então descambaria para a magia negra. Mas, pode-se perguntar, e daí? Os *Vudus* e os *Dugpas* comem, bebem e se divertem com as hecatombes produzidas por suas artes infernais. E não é de outro modo que procedem os gentis cavalheiros legistas e os "hipnotizadores" *diplomados* das faculdades de medicina; a única diferença, no caso, é que os Vudus e os Dugpas agem *conscientemente*, ao passo que o bando de seguidores dos Charcot-Richet são, *inconscientemente*, feiticeiros. Assim, na medida em que todos colhem os frutos de suas atividades e de seus feitos na magia negra, também os práticos ocidentais devem a sua fama ou a sua difamação aos proventos e prazeres que dela retiram. Pois, repetimos uma vez mais, o *hipnotismo* e a *autópsia*, tais como praticados nessas escolas, não passam de pura e simples *feitiçaria*, sem o conhecimento que possuem os Vudus e Dugpas, conhecimento este que nem em cinquenta anos de árduas pesquisas e observações experimentais os Charcot-Richet poderão alcançar. Deixemos, pois, aqueles que querem se meter com a magia, compreendendo ou não a sua natureza, aqueles que consideram muito duras as exigências impostas aos estudantes e, assim, colocam de lado a *Atma-Vidya* ou o ocultismo, passarem sem eles. Deixemos que se tornem mágicos a qualquer preço, nem que para isso tenham de se tornar Vudus e Dugpas nas próximas dez encarnações.

Mas pode ser que os nossos leitores estejam interessados naqueles que são inexoravelmente atraídos para o "oculto", embora não façam ideia da verdadeira natureza daquilo a que aspiram, nem tenham se tornado resistentes à paixão ou, muito menos que isso, capazes de autêntica generosidade.

Deveríamos, pois, indagar o que é feito desses desventurados, dilacerados que são por forças conflitantes. Já se disse muitas vezes para que seja preciso tornar a fazê-lo, sendo um dado patente para qualquer observador, que, uma vez tenha o desejo pelo ocultismo realmente despertado no coração do homem, não resta para ele qualquer esperança de paz, nem lugar algum de alívio e sossego em todo o mundo. Ele é impelido para os espaços selvagens e desolados da vida por um tormento invencível e sem fim. O seu coração está ainda muito cheio de paixões e desejos egoístas para que lhe seja permitido transpor os Portões Dourados; já não encontra sossego ou paz na vida de todos os dias. Deve, por isso, deixar-se arrastar fatalmente para a magia negra e para a feitiçaria, acumulando, uma encarnação após a outra, um terrível karma para si? Não haveria uma outra saída?

Em verdade há, respondemos. Esperemos que ele não aspire a mais do que se sente capaz de alcançar. Esperemos, até que desista de carregar uma cruz muito pesada para as suas forças. Sem nem mesmo exigir dele que se torne um "Mahatma", um Buda ou um Grande Santo, mas apenas que estude a filosofia e a "ciência da alma", esperemos que se torne um modesto benfeitor da humanidade, sem qualquer poder "sobre-humano". Os *Siddhis* (ou os poderes de Arhat) destinam-se apenas àqueles que são capazes de viver a vida, de aceitar os terríveis sacrifícios exigidos por uma tal disciplina, e aceitá-los ao pé da letra, sem mais. Esperemos que aprenda de uma vez por todas e jamais esqueça que o verdadeiro ocultismo ou a teosofia consiste na "Grande Renúncia ao EU", renúncia incondicional e absoluta, tanto em ato quanto em pensamento. ALTRUÍSMO: aquele que o pratica deixa de fazer parte do mundo dos vivos. "Não para si, mas para o mundo é que ele vive": e assim será, tão logo lance mãos à obra. Durante os primeiros anos de provação, muita coisa é esquecida.

Mas não sem que antes tenha ele "aceito" que a sua personalidade deve desaparecer e *não ser mais que uma força benéfica da natureza*. Depois disso, só tem pela frente duas saídas, duas estradas e nenhum remanso. Ou terá de subir laboriosamente, degrau por degrau, uma a uma, várias encarnações, sem pausa nem pouso, a escadaria dourada que leva ao andar do Mahatma (a condição de *Arhat* ou de *Bodhisattva*) – ou então, por descuido seu, despencará escada abaixo ao primeiro passo em falso e rolará até ao *Dugpa*...

Tudo isso é ignorado ou então mantido inteiramente longe dos olhos. Todavia, se alguém seguir a silenciosa evolução das primeiras aspirações dos candidatos, quase sempre acabará por descobrir estranhas ideias a se apossarem tranquilas de suas mentes. Há aqueles cujas faculdades de raciocínio foram tão afetadas por influências alienígenas, que chegam a imaginar que as paixões sensuais podem ser sublimadas e intensificadas a tal ponto que toda a sua fúria, a sua força e o seu furor voltam-se, por assim dizer, para dentro; que podem ficar armazenadas e encerradas no peito até que a sua energia seja não ampliada, mas dirigida para finalidades mais altas e sagradas: ou seja, *até que a energia coletiva e potencial torne os seus possuidores capazes de ingressar no verdadeiro Santuário da Alma* e aí se defrontarem com o *Mestre* – o EU SUPERIOR. Para tanto, julgam desnecessário combater ou eliminar as suas paixões. Simplesmente, por um forte esforço de vontade, pretendem apagar as chamas impetuosas e mantê-las atormentadas dentro dos limites de suas naturezas, permitindo ao fogo arder sob uma fina camada de cinzas. Submetem-se risonhamente à mesma flagelação do menino espartano que, para não se desfazer de sua raposa, deixou que ela lhe devorasse as entranhas. Ó pobres, cegos visionários!

Seria o mesmo que esperar de um bando de limpadores de chaminés, voltando do trabalho bêbados e sujos, que se encerrassem num santuário revestido de linho puro e alvo e, em vez de manchá-lo e reduzi-lo a uma pilha de trapos encardidos, pudessem se apossar do sagrado recinto e finalmente dele se retirarem tão imaculados quanto o próprio recinto. Ou, então, imaginar que uma dúzia de depravados recolhidos ao ambiente puro de um *Dgon-pa* (monastério) pudessem sair dali impregnados com todos os aromas dos incensos queimados... Estranha aberração da mente humana. Como pode chegar ela a tal ponto? Ponderemos.

No santuário de nossa alma, o "Mestre" é o "Eu Superior" – o espírito divino cuja consciência se baseia na mente e apenas dela deriva (o que, de um modo ou de outro, se dá no correr da existência finita do homem na qual ela se acha cativa), e à qual convencionamos chamar de *alma humana* (sendo a "Alma Espiritual", por sua vez, veículo do Espírito). Esta (referimo-nos à alma *pessoal* ou humana) é, na sua forma mais elevada, um composto de aspirações espirituais, volições e amor divino; quanto ao seu aspecto inferior, um composto de desejos sensuais e paixões a ela comunicadas pelo seu veículo, sede de todas estas. Assim, ela desempenha o papel de elo e intermediário entre a natureza animal do homem, à qual a sua razão superior procura subjugar, e a sua natureza espiritual divina, para a qual é atraído sempre que leva a melhor na luta contra o *animal recôndito*. Esse último é a "alma animal" instintiva, o antro no qual prosperam essas paixões que, como acabamos de ver, são atiçadas em vez de serem mortas e encontram abrigo no seio de alguns fanáticos irrefletidos. Será que ainda esperam assim transformar o esgoto imundo da cloaca animal nas águas cristalinas da vida? Onde, em que paragem remota poderão ser confinados a fim de não prejudicarem os homens? As intensas paixões despertadas pelo amor e pela luxúria ainda vivem e mesmo assim se consente que permaneçam no local em que nasceram – *nesta mesma alma animal*; ora, tanto a região superior como a inferior da "alma humana" e da mente rejeitam semelhantes companhias, ainda que não possam evitar serem corrompidas por tal espécie de vizinhos. O "Eu Superior" ou Espírito é incapaz de assimilar esses sentimentos tanto quanto a água de se misturar com o óleo ou com impurezas gordurosas. Assim, a mente – o único elo e intermediário entre a criatura terrena e o Eu Superior – é a única a pagar pelo sofrimento, correndo a todo momento o risco de se ver arrastada pelas paixões, que podem reacender de uma hora para outra, e perecer no caos da matéria. Como esperar que ela possa se ajustar à divina harmonia do Princípio superior se precisamente essa harmonia é destruída pela mera presença das paixões animais no santuário em preparação? Como esperar que a harmonia possa prevalecer e sair-se vitoriosa se a alma é maculada e perturbada pelo alvoroço das paixões e pelos desejos materiais dos sentidos corpóreos, quando não do "homem astral" ele próprio?

Pois esse "astral" – o "duplo" soturno (tanto do animal como do homem) – não faz companhia ao *Ego divi-*

no, mas sim ao *corpo terrenal*. Constitui o elo que liga o EU individual à consciência inferior de *Manas* e ao Corpo, estando a serviço da *vida efêmera, não da vida imortal*. Como a sombra de um homem, executa os seus movimentos e se dobra aos seus impulsos de modo servil e mecânico, conduzindo, portanto, à matéria sem jamais ascender ao Espírito. Somente quando as forças da paixão forem completamente liquidadas, somente quando forem esmagadas e aniquiladas por meio das retortas de uma vontade inabalável; somente quando a volúpia e a febre da carne estiverem mortas; mais ainda, quando inexistir o reconhecimento do eu pessoal e, por conseguinte, o "astral" se reduzir a zero, é que a união com o "Eu Superior" poderá ocorrer. Aí então, quando o "astral" não reflete senão o homem conquistado, a personalidade ainda viva, mas sem os egoísmos e desejos de antes, aí o brilhante *Augoeides*, o EU divino, poderá vibrar em harmonia consciente com ambos os polos da entidade humana – o homem liberto da matéria e a Alma Espiritual para sempre pura – e se ver diante do EU SUPREMO, o Cristo dos místicos gnósticos, congraçado, unido e absorvido NELE para sempre.[4]

Como, então, pensar que alguém possa passar pela "porta estreita" do ocultismo se os seus pensamentos, a cada hora, a cada dia, não se desligam das coisas mun-

4. Aqueles que se sentem inclinados a distinguir três *egos* no homem iriam se mostrar incapazes de perceber o seu sentido metafísico. O homem é uma trindade formada por corpo, alma e espírito; todavia, o *homem é um só*, e seguramente não se reduz ao seu corpo. Este último é apenas a propriedade, a indumentária transitória do homem. Os três "egos" são os três aspectos nos planos (ou estados) astral, intelectual e psíquico, bem como no espiritual.

danas, dos desejos de posse e poder, da cobiça, da ambição e de obrigações que, embora decentes, são ainda as da Terra, são terrenais? Até mesmo o amor pela esposa e pela família – o mais puro e o menos egoísta dos sentimentos humanos – constitui um obstáculo para o *verdadeiro ocultismo*. Mesmo se tomarmos como exemplo o amor sagrado que uma mãe devota ao seu filho ou o marido à sua esposa, não deixaremos de reconhecer nesses sentimentos, quando analisados e esmiuçados a fundo, um resíduo de *egoísmo*, como no primeiro caso, e um *égoisme à deux*, como no segundo.

Que mãe não sacrificaria, sem hesitar um instante sequer, centenas e milhares de vidas pela criança de seu coração? E que amante ou marido digno desse nome não destruiria a felicidade de qualquer outro homem ou mulher a fim de satisfazer o desejo daquela a quem ama? Mas isso é muito natural, diriam. Sem dúvida alguma, do ponto de vista das paixões humanas; nem tanto, do ponto de vista do divino amor universal. Se o coração está cheio de pensamentos voltados para um pequeno número de *eus*, próximos e caros a nós, como poderia o resto da humanidade nutrir-se de nossa alma? Que porcentagem de amor e zelo sobraria para doar ao "grande órfão"? E como poderia a "vozinha" se fazer ouvir numa alma inteiramente tomada pelos seus próprios e privilegiados inquilinos? Que aposento lá ficou para a necessidade que a humanidade, *en bloc*, tem de se convencer da existência de uma saída ou mesmo encontrá-la rapidamente? Todavia, aquele que faz bom proveito da Sabedoria da mente universal somente pode alcançá-la por meio da *humanidade em seu todo*, sem discriminação de raça, aparência, religião ou posição social. Somente o *altruísmo*, não o *egoísmo*, mesmo na sua concepção mais nobre e legítima, pode levar o indivíduo a fundir o seu pequeno eu no Eu universal. São a *essas* necessidades e a essa obra que o discípulo verdadeiro do verdadeiro ocultismo tem que se consagrar para obter a *teosofia*, a Sabedoria e o Conhecimento divinos.

O candidato tem que escolher decididamente entre a vida mundana e a vida do ocultismo. É inútil e vão tentar juntar as duas coisas, pois ninguém pode servir a dois senhores e satisfazer a ambos. Ninguém pode ao mesmo tempo servir ao corpo e à Alma superior ou cumprir com seus deveres familiares e universais sem privar uma coisa ou outra de seus direitos; assim também, o aspirante ou se dispõe a ouvir a "vozinha" e deixa de ouvir o choro de seus pequenos, ou bem atende a estes e permanece surdo à voz da humanidade. Para todo homem casado que busca o *verdadeiro* ocultismo prático e não a sua filosofia *teórica*, isso seria uma tarefa interminável e enlouquecedora. Pois ele estaria sempre hesitando entre a voz impessoal do divino amor da humanidade e a voz do amor pessoal, terrenal. E isso somente conduz ao fracasso numa ou noutra direção, ou até mesmo em ambas. Pior que isso: *todo aquele que, tendo se comprometido com o OCULTISMO, rende-se às delícias do amor ou da cobiça humana*, sentirá imediatamente as consequências – será irresistivelmente arrastado do estado divino impessoal para o plano inferior da matéria. A autogratificação sensual ou mesmo mental implica a perda imediata das faculdades de discernimento espiritual; a voz do MESTRE não mais poderá ser distinguida da voz das próprias paixões *ou mesmo daquela de um Dugpa,* nem o certo do errado, nem a moral sadia do mero casuísmo. O fruto do mar Morto toma a mais gloriosa aparência mística para tão só se desfazer em cinzas nos lábios e aflição no coração, redundando em:

> "Depth ever deepening, darkness darkening still;
> Folly for wisdom, guilt for innocence;
> Anguish for rapture, and for hope despair."
>
> Em tradução literal:
> "Fundo mais que profundo, treva mais que sombria;
> Insânia em vez de sabedoria, culpa em vez de pureza;
> Angústia em vez de enlevo, e por esperança, desespero."

Uma vez equivocados e ainda assim persistentes no equívoco, muitos se recusam a reconhecer os seus erros, afundando-se cada vez mais no lamaçal. E muito embora seja a intenção que em princípio determina se a magia é *branca* ou *negra,* nem por isso o resultado da feitiçaria mais involuntária deixará de produzir um mau karma. Já se disse muitas vezes que *feitiçaria é qualquer espécie de influência maléfica a que se procura expor o outro, fazendo com que sofra e, por conseguinte, provocando o sofrimento também de outros.* O karma é como uma pesada rocha a despencar nas águas calmas da vida, produzindo círculos cada vez mais amplos que se estendem longa, longamente, quase *ad infinitum.* Assim produzidas, as causas exigem efeitos posteriores, como evidenciam as justas leis da retribuição.

Tudo isso poderia ser evitado em grande parte se as pessoas simplesmente renunciassem ao exercício de práticas cuja natureza ou importância elas não compreendem. Não se pode exigir que alguém carregue um fardo mais pesado do que suas forças permitem. Existem "mágicos de nascença; místicos e ocultistas de nascimento, herdeiros diretos de uma sucessão de encarnações e eras de sofrimentos e malogros. Estes, por assim dizer, são resistentes às paixões. Nenhum fogo de origem terrena poderá inflamar os seus sentidos ou desejos; nenhuma voz humana encontrará eco em suas almas, somente o clamor da humanidade. Apenas estes podem contar seguramente com o sucesso. No entanto, é raro que sejam encontrados em alguma parte; como não trazem consigo qualquer lastro pessoal de sentimentos humanos efêmeros, conseguem passar através das portas estreitas do ocultismo. Eles se livraram de todos os sentimentos da personalidade inferior e assim neutralizaram o "astral" animal; por isso, a porta dourada, conquanto estreita, abre-se para eles. Já o mesmo não acontece com aqueles que têm de suportar por muitas encarnações ainda o fardo dos pecados cometidos em existências passadas, ou mesmo na atual. A menos que sejam muito prudentes, as portas da sabedoria transformar-se-ão em portais enormes e os largos caminhos serão "aqueles que conduzem à destruição", portanto "muitos serão os que assim entrarão". Como tal é a Porta das artes ocultas, praticadas com intenções egoísticas e sem contar com a ação corretora e benéfica do ATMA-VIDYA. Atravessamos atualmente o período do Kali-Yuga, cuja influência nefasta é mil vezes mais poderosa no Ocidente do que no Oriente; isso talvez possa explicar a facilidade com que as potências da Idade das Trevas fazem as suas vítimas nessa luta cíclica e as inumeráveis ilusões de que se nutre o mundo atualmente. Entre essas, a facilidade relativa com que os homens imaginam chegar até a "Porta" e transpor o umbral do ocultismo sem grandes sacrifícios. É o sonho de muitos teosofistas, sonho inspirado pelo desejo de poder e pelo egoísmo, muito embora não sejam tais sentimentos que poderão conduzi-los à meta cobiçada. Pois, como disse muito bem aquele que todos consideram ter se sacrificado pela humanidade, "estreita é a porta e apertada é a via que conduz à vida eterna", de modo que "são poucos os que a alcançam". Tão apertada, na verdade, que à simples menção de uma ou outra dificuldade inicial os medrosos candidatos do Ocidente viram as costas e dão de ombros...

É melhor que parem por aqui e não mais se esforcem, haja vista a sua imensa fraqueza, pois, se ao voltarem as costas para a porta estreita são eles arrastados, em seu afã pelo oculto, um passo a mais na direção das portas mais largas e sedutoras daquele mistério dourado que reluz à luz da ilusão, tanto pior! Tais portas somente conduzem aos domínios inferiores do *Dugpa*; aí então, logo lhes virá a certeza de se acharem no caminho daquela *Via Fatale* do *Inferno*, sobre cujos portais Dante gravou essas palavras:

> "Per me si va nella città dolente
> Per me si va nell'eterno dolore
> Per me si va tra la perdutta gente..."

ALGUMAS SUGESTÕES PRÁTICAS PARA O DIA A DIA

Prefácio

As citações de que se compõe o artigo que segue não foram originalmente selecionadas com vistas à publicação, podendo, por isso, parecer um tanto desarticuladas.

Ao serem publicadas pela primeira vez, formavam uma espécie de *Seleta Teosófica* cujo objetivo era incentivar o leitor a fazer ele próprio o seu livro de citações diárias, de modo a preservar uma recordação duradoura dos livros lidos e fazer com que as suas leituras tivessem efeitos práticos. Ao seguir esse plano, o leitor sintetizaria em poucas palavras tudo quanto julgou ser essencial no livro que leu.

Ler um conjunto de citações a cada manhã, tentar levá-las à prática durante o dia e meditar sobre elas nos momentos de folga pode ser algo de grande valia, até mesmo para os estudantes mais compenetrados.

I

Levante-se cedo, assim que despertar, em vez de ficar deitado ocioso na cama, nem acordado nem adormecido. Em seguida, reze com fervor para que todos os homens possam se regenerar espiritualmente, para encorajar aqueles que perseveram no caminho da verdade a trabalharem com afinco e a obterem bons êxitos, e também para que você próprio se mantenha forte e não se deixe atrair pela sedução dos sentidos. Imagine mentalmente o seu Mestre como alguém que alcançou o Samadhi. Mantenha essa imagem diante de si, sem perder de vista nem mesmo os detalhes mais ínfimos, pensando nele com respeito e orando para que todas as faltas de pensamento e ato sejam perdoadas. Isso irá favorecer a concentração, purificar o seu coração, além de muitos outros proveitos mais. Ou então, reflita sobre as fraquezas do seu caráter: *procure alcançar total consciên-*

cia do que há nelas de mal e também da contingência dos prazeres que elas lhe proporcionam, decidindo-se firmemente a fazer de tudo para não se entregar a eles na próxima vez. Essa autoanálise, que o coloca diante do tribunal da sua própria consciência, favorece o seu progresso espiritual num grau até então insuspeitado. Ao tomar banho, concentre inteiramente a sua vontade para que as impurezas morais sejam levadas pela água junto com as impurezas do corpo. No seu relacionamento com os outros, observe as seguintes regras: (1) Faça apenas os seus deveres; jamais faça algo desnecessário. Antes de fazer uma coisa, reflita se você tem ou não o dever de fazê-la. (2) *Jamais profira uma palavra supérflua*. Pense nas consequências que as suas palavras podem trazer antes de expressá-las. *Jamais consinta em violar os seus princípios em função de suas companhias*. (3) Jamais permita que pensamentos vãos e desnecessários ocupem a sua mente. É fácil propor-se a isso, mas fazê-lo é difícil. Não se pode tornar a mente uma lacuna de uma hora para outra. Assim, no começo, tente evitar os pensamentos fúteis e perniciosos fazendo com que a mente se volte para a análise dos seus próprios defeitos ou para a contemplação dos Perfeitos. (4) Durante as refeições, concentre a sua vontade para que o alimento seja corretamente digerido, a fim de provê-lo com um corpo à altura das suas aspirações espirituais, incapaz de gerar paixões maléficas e maus pensamentos. Coma apenas quando tiver fome e beba apenas quando tiver sede, *nunca de outro modo*. Se algum prato especial lhe é caro ao paladar, não se permita comê-lo simplesmente para satisfazer essa vontade. Lembre-se de que o prazer que você sente ao comê-lo não existia segundos antes e deixará de existir segundos depois, que se trata de um prazer passageiro, que aquilo que agora proporciona prazer poderá mais tarde provocar dor se experimentado sem nenhuma medida, que a comida proporciona prazer somente para a língua; lembre-se das sérias perturbações que lhe poderão advir se comer tal prato, e que se você não conseguir resistir à tentação que ele significa, não mais sentirá qualquer escrúpulo diante de outros alimentos que lhe fazem mal; que existe um outro objeto que pode lhe trazer felicidade eterna e que, assim, convergir os seus impulsos para uma coisa passageira consiste numa loucura total; de que *você* não se reduz nem ao corpo nem aos sentidos, de modo que os prazeres e dores que estes experimentam jamais poderão atingi-lo na verdade, e assim por diante. Repita a mesma série de raciocínios no caso de qualquer outra tentação, e muito embora você possa fracassar várias vezes, ainda assim o êxito será certo. *Não leia muito*. Se você passa dez minutos lendo, reflita durante esse mesmo tempo. Habitue-se à solidão e a ficar a sós com os seus pensamentos.

Acostume-se com a ideia de que *ninguém próximo de você poderá socorrê-lo* e afaste gradualmente as suas afecções de todas as coisas. Antes de dormir, reze como pela manhã. *Faça uma revisão dos atos que praticou durante o dia*, tentando identificar os seus erros, e resolva-se a não cometê-los no dia seguinte.[5]

5. *Theosophist*, agosto de 1889, p. 647.

II

A motivação justa para se buscar o autoconhecimento diz respeito ao próprio *conhecimento* e não ao *eu*. O autoconhecimento deve ser buscado de preferência porque é um conhecimento, não porque se refira ao eu. A condição indispensável para se alcançar o autoconhecimento é o *amor puro*. Busque o conhecimento por puro amor e então os seus esforços poderão ser coroados pelo autoconhecimento. O fato de um estudante progredir com impaciência é a prova de que age não por amor, mas porque tem em vista alguma recompensa, o que por sua vez prova não ser ele merecedor da grande vitória reservada àqueles que realmente agem por puro amor.[6]

---

6. *Theosophist*, agosto de 1889, p. 663.

O "Deus" que há em todos – ou seja, o Espírito do amor e da verdade, da justiça e da sabedoria, da bondade e da força – deve ser o nosso único e eterno objeto de *amor*, a nossa única esperança, a nossa única *fé*, à qual, sólida como uma rocha, poderemos sempre recorrer; a nossa única *esperança*, aquela que jamais nos abandona, nem mesmo quando tudo o mais desaparece, e a única coisa à qual devemos nos esforçar por obter, contando para tanto com a paciência que possuímos, aguardando calmamente que o nosso mau karma tenha se extinguido, quando então o divino Redentor revelará a sua presença na nossa alma. A porta através da qual ele passa chama-se *satisfação*; pois aquele que se sente descontente consigo mesmo, sente-se também descontente com a lei que o fez tal qual é; e como Deus é *Ele próprio*, a Lei não se manifestará àqueles que se acham descontentes com Ele.[7]

Se admitirmos a ideia de que nos achamos todos na via da evolução, então *todas* as circunstâncias *devem* nos parecer admissíveis. E o fracasso dos nossos esforços deveria ser o nosso grande incentivo, pois de nenhum outro modo pode-se chegar até aquela serenidade na qual insiste Krishna. Se todos os nossos planos fossem bem-sucedidos, nenhum contraste nos manifestaria. Até mesmo aqueles planos que julgamos corretos, mas que, uma vez postos em prática, se revelam falhos, sendo impedidos de ser levados adiante pela natureza generosa. Pode ser que não tenhamos responsabilidade alguma pelo plano, mas a não aceitação da impossibili-

7. *Theosophical Siftings*, nº 8, vol. 2, p. 9, Hartmann.

dade de realizá-lo pode nos trazer um mau karma. Se você se encontra inteiramente prostrado, tanto mais fracos estarão os seus pensamentos. *Mesmo confinada numa prisão, uma pessoa ainda poderia continuar a ser um ajudante da causa*. Por isso, rogo-lhe que tire da mente qualquer pensamento de inconformismo em relação às circunstâncias. Se você conseguir encarar tudo como sendo *justamente o resultado daquilo que você mais desejava,*[8] isso não apenas fortalecerá os seus pensamentos como também agirá de modo reflexo sobre o seu corpo e irá torná-lo mais forte.[9]

Agir, e agir com sabedoria, quando for chegado o tempo da ação; esperar, e esperar com paciência, quando for chegado o tempo de descansar, reconcilia o homem com os altos e baixos (da vida), e assim, tendo a natureza e a lei ao seu lado, a verdade e a caridade como luzes a lhe indicarem o caminho, ele poderá operar verdadeiros milagres. O desconhecimento dessa verdade está na base da alternância de períodos de arrebatamento imotivado, por um lado, e de depressão e até mesmo desespero, por outro. O homem torna-se, assim, vítima de suas flutuações, quando deveria ser o senhor delas.[10]

Tenha paciência, candidato, pois quem não se expõe ao fracasso não conhece o sucesso.[11]

A energia acumulada não pode ser aniquilada, mas sim assumir outras formas ou outros modos de movimento; ela não pode ficar sempre inativa e ainda assim conti-

---

8. "Você" significa o Eu Superior. *Somos* como nos fazemos.
9. *Path*, agosto de 1889, p. 131.
10. *Path*, julho de 1889, p. 107.
11. *A Voz do Silêncio*.

nuar a existir. É inútil tentar *resistir* a uma paixão que não podemos controlar. Se a sua energia crescente não encontra canais por onde possa escoar-se, ela aumentará a ponto de tornar-se mais forte que a vontade, mais forte que a razão. A fim de assegurar o seu *controle*, devemos conduzi-la para um outro canal, um canal superior. Assim, o amor por algo vulgar pode se transformar em amor por algo elevado, e *o vício pode dar lugar à virtude se o seu curso for alterado*. A paixão é cega, pois faz o que quer, por isso a razão é um guia mais seguro que o instinto. A ira contida (ou o amor) *acabará* por descobrir algum objeto sobre o qual descarregar a sua fúria, pois do contrário ela acabará por provocar uma explosão que destruirá o seu agente; *à tempestade segue-se a bonança*. Os antigos diziam que a natureza não comportava nenhum vácuo. Não podemos destruir ou aniquilar uma paixão. Se ela for expulsa, um outro impulso elementar virá tomar o seu lugar. Deveríamos, assim, não tentar destruir o que é inferior sem nada colocar no seu lugar, mas sim substituir o inferior pelo superior; o vício pela virtude, a superstição pelo conhecimento.[12]

12. *Magic*, p. 126, Hartmann.

III

Saiba que o desejo não tem cura, que não existe remédio para o afã da recompensa nem para a miséria da cobiça que não a fixação da visão e da audição naquilo que é invisível e insondável.[13]

O homem tem que acreditar na sua capacidade inata de progredir. O homem não pode se deixar atemorizar pela sua natureza irrefreável nem se deixar influenciar pelo seu eu inferior ou material.[14]

O passado é a prova irrefutável de que os obstáculos não podem servir de desculpa para o desânimo, e muito menos para o desespero, pois de outro modo a humanidade não contaria com as maravilhas incontáveis da civilização.[15]

---

13. *Light on the Path*, Karma.
14. Comments, *Light on the Path*.
15. *Through the Gates of Gold*, p. 69.

A força de vontade para seguir adiante constitui a exigência inicial para aquele que escolheu o seu caminho. Onde encontrá-la? Olhando em volta, não será difícil reconhecer a fonte da qual os homens retiram a sua força: trata-se da convicção inabalável.[16]

Abster-se porque o certo é abster-se, e não porque devamos nos manter imaculados.[17]

O homem que luta contra si próprio e vence, só pode fazê-lo quando aprende que nessa guerra ele deverá fazer apenas o que merece ser feito.[18]

"Não se oponha ao mal", ou seja, não se queixe nem se irrite com os inevitáveis dissabores da vida. *Esqueça-se a si próprio* (doando-se para o outro). Se os homens maltratam, perseguem e ofendem os seus semelhantes, por que se lhes opor? Ao fazê-lo, acabamos por gerar males ainda mais graves.[19]

A ação mais imediata, seja qual for ela, possui a desculpa abstrata da obrigação, sendo que a sua importância ou não importância relativas jamais são levadas em consideração.[20]

O remédio mais eficaz contra o mal não é a sua supressão, mas sim a eliminação do desejo, sendo que o meio mais eficaz para alcançar isso é manter a mente constantemente ocupada com as coisas divinas. O conhecimento do Eu Superior é desviado do seu curso quando a mente volta-se com prazer para a meditação

16. *Op. cit.*, p. 87.
17. *Light on the Path.*
18. *Through the Gates of Gold*, p. 118.
19. *Path*, agosto de 1887, p. 151.
20. *Lucifer*, fevereiro de 1888, p. 478.

ou a contemplação dos objetos correspondentes aos sentidos irrefreáveis.[21]

A nossa própria natureza é tão vil, orgulhosa, ambiciosa e ciosa de seus próprios apetites, juízos e opiniões que se as tentações não a contivessem, ela estaria perdida; todavia, somos tentados a crer que podemos nos conhecer e sermos humildes. Saiba que a maior de todas as tentações é não experimentar tentação alguma, até mesmo se sentir feliz quando elas o assaltam e, com resignação, quietude e constância, resistir a elas.[22]

Saiba que você não tem que fazer nada para si, mas apenas cumprir certas tarefas que lhe são incumbidas pela Deidade. Queira a Deus *e não algo que Ele possa proporcionar-lhe*.[23] Tudo o que há para ser feito tem que ser feito, mas não com a finalidade de usufruir do fruto da ação.[24] Se todas as ações são executadas com a inteira convicção de que elas não possuem qualquer valor para o agente, mas sim porque o que há para se fazer *tem* simplesmente de ser feito – em outras palavras, porque o agir está em nossa natureza –, então a personalidade egoísta que há em nós enfraquecerá cada vez mais até desaparecer, possibilitando ao conhecimento revelar o Eu verdadeiro e brilhar em todo o seu esplendor.

Não se deve permitir que a alegria ou a dor interfiram na consecução de nossos propósitos.[25]

---

21. *Bhagavad Gita*, p. 60 (todas as citações são tiradas da tradução de Mohini).
22. *Spiritual Guide*, Molinos.
23. *Bhagavad Gita*, p. 182.
24. *Bhagavad Gita*, Introdução.
25. Comments, *Light on the Path*.

Antes que o mestre o tenha escolhido para a sua companhia, *seja* humanitário, trabalhe desinteressadamente tendo em vista o seu progresso e a sua elevação. Apenas isso pode trazer verdadeira satisfação.[26]

O conhecimento aumenta conforme a sua *utilização* – ou seja, quanto mais ensinamos, mais aprendemos. Portanto, você, que procura a verdade com a fé de uma criancinha e a força de vontade de um iniciado, deverá repartir o que possui com aquele que nada tem, a fim de confortá-lo ao longo da jornada.[27]

Um discípulo deve admitir sem reservas que a simples ideia de direitos individuais não passa de um produto do caráter maligno da serpente do Eu. Jamais deve considerar um outro homem como alguém passível de ser criticado e condenado, nem levantar a voz para se defender ou se desculpar.[28]

Ninguém é seu inimigo, ninguém é seu amigo. *O mesmo vale em relação aos seus professores.*[29] Não se deve mais agir tendo em vista alguma espécie de benefício temporal ou espiritual, mas tão somente para cumprir a lei da existência segundo a justa vontade de Deus.[30]

---

26. *Path*, dezembro de 1886, p. 279.
27. *Path*, dezembro de 1886, p. 280.
28. *Lucifer*, janeiro de 1883, p. 832.
29. *Light on the Path*.
30. *Bhagavad Gita*, Introdução.

IV

Não viva nem para o presente nem para o futuro, mas para a *eternidade*. A erva gigante (do mal) não pode deitar raízes lá; essa mancha que denigre a existência é apagada pela simples atmosfera do pensamento eterno.[31] A pureza de coração é uma condição indispensável para se alcançar o "conhecimento do Espírito". São dois os principais meios pelos quais essa purificação pode ser alcançada. O primeiro é manter todos os maus pensamentos constantemente afastados; o segundo, manter o equilíbrio da mente sob quaisquer circunstâncias, *nunca se agitar ou se irritar com nada*. Logo se descobrirá que esses dois meios de purificação revelam-se mais eficazes quando baseados na *devoção* e na *caridade*. *Não devemos* ficar ociosos, sem fazer qualquer esforço

31. *Light on the Path*, regra 4.

para progredir, só porque não nos sentimos puros. *Todos devemos aspirar a algo* e fazer de tudo para alcançá-lo, seguindo, no entanto, o caminho certo para isso, cujo primeiro passo consiste em purificar o coração.[32]

A mente precisa ser purificada sempre que sentimos ódio ou dizemos uma mentira, ou *quando as imperfeições do outro se nos manifestam desnecessariamente*; sempre que se diz ou se faz algo com o propósito de bajular, ou quando alguém é enganado pela insinceridade de uma palavra ou de um gesto.[33]

Os que desejam a salvação devem evitar a cobiça, a cólera e a avareza, observando rigorosamente as Escrituras, o estudo da filosofia espiritual e a *perseverança* necessária à sua realização prática.[34]

Aquele que se guia por intenções egoístas não pode alcançar um estado no qual inexistem considerações de ordem pessoal. *Aquele que não se preocupa em alcançar o Paraíso, mas se sente contente no lugar em que se encontra, já está no Paraíso*, ao passo que o descontente irá almejá-lo em vão. Não ter desejos pessoais é ser livre e feliz; "Paraíso" podendo então significar pura e simplesmente um estado em que a liberdade e a felicidade existem. Quem realiza boas ações na esperança de se ver recompensado não é feliz, a menos que essa recompensa seja de fato obtida, o que põe fim à sua felicidade. Não pode existir nenhum descanso ou felicidade duradoura enquanto restar algo por fazer, sendo que o ato de cumprir com as tarefas dadas gera a sua própria recompensa.[35]

---

32. *Theosophist*, outubro de 1888, p. 44.
33. *Bhagavad Gita*, p. 325.
34. *Ibid.*, p. 240.
35. *Magic*, Intr., p. 34. Hartmann.

Aquele que se considera mais devoto que os outros, aquele que se mostra de alguma maneira orgulhoso por estar a salvo do vício ou da loucura, aquele que se pretende sábio ou superior aos seus companheiros, não pode se tornar um discípulo. Para alcançar o Reino dos Céus, o homem tem que voltar a ser como que uma criancinha. A virtude e a sabedoria são sublimes, mas se elas geram orgulho e um sentimento de ascendência em relação ao resto da humanidade, então não passam de serpentes do eu reaparecendo em formas mais sutis. O sacrifício ou a partilha do *coração* humano *e de suas emoções* é a primeira regra a ser seguida; ela requer um "equilíbrio que não se deixa abalar pelas emoções pessoais". Coloque em prática as suas boas intenções sem tardar, jamais consentindo que uma só delas permaneça uma simples intenção. O único caminho verdadeiro que há para nós é admitir que as intenções dos nossos atos estejam contidas nos próprios atos, nunca nas vantagens que podem proporcionar; não ser estimulado a agir tendo em vista as possíveis recompensas, nem admitir a inclinação para a inércia.

Pela *fé*,[36] o coração é purificado das paixões e da loucura; é aí que se origina o domínio sobre o próprio *corpo* e, *por último*, a subjugação dos sentidos.[37]

Os traços que distinguem o sábio iluminado são: (1º) ele se libertou de todos os desejos,[38] e *sabe* que unica-

---

36. Isto é, conhecimento, algo que somente pode ser adquirido pela prática do altruísmo e da generosidade.

37. *Bhagavad Gita*, p. 95.

38. Isso pode ser alcançado de preferência mantendo a mente constantemente voltada para as coisas divinas.

mente o verdadeiro Ego ou Espírito Supremo é que são bem-aventurados, tudo o mais é tormento; (2º) ele não mais sente atração ou repulsa seja pelo que for, e age sem premeditação. *Finalmente*, a subjugação dos *sentidos*, que é inútil – e quase sempre perniciosa, por incentivar a hipocrisia e a soberba espirituais – sem a segunda, não tendo esta, por sua vez, muita serventia sem a primeira.[39]

Aquele que não pratica o altruísmo, aquele que não se sente capaz de partilhar o seu último bocado[40] com alguém mais fraco e mais pobre do que ele, aquele que reluta em ajudar ao semelhante, seja ele de qualquer raça, credo ou nacionalidade, *sempre* que depara com o sofrimento, que faz ouvidos moucos para o clamor da miséria humana; aquele que ouve um inocente ser caluniado e não toma a sua defesa como tomaria se se tratasse dele próprio *não é um teosofista*.

39. *Bhagavad Gita*, p. 61.

40. Isso pode ser tomado em sentido *lato*, isto é, de conhecimento espiritual, etc.

V

Ninguém age corretamente ao renunciar às tarefas impreteríveis que a vida, por meio da Divindade, impõe. Aquele que cumpre as suas obrigações porque teme que algum mal possa lhe acontecer se não o fizer, ou que as cumpre pensando que assim removerá os obstáculos do seu caminho, age tendo em vista o interesse. As obrigações deveriam ser cumpridas simplesmente porque são ditadas por Deus, que de um momento para outro pode igualmente determinar sejam elas deixadas de lado. Enquanto não reduzirmos a inquietação própria da nossa natureza à tranquilidade, devemos perseverar em nossas obras, consagrando todos os seus frutos à Divindade e atribuindo-Lhe a capacidade de executá-las com perfeição. A *verdadeira* vida do homem consiste em *alcançar a identidade com o Espírito Supremo.*

Não depende de qualquer ato de nossa parte, no entanto, tornar essa existência uma realidade, já que ela é em si a realidade, "a verdade", *sendo totalmente independente de nós*. A compreensão da irrealidade de tudo o que se opõe a essa verdade é *uma nova consciência*, não o produto de um ato. A libertação do homem nada tem a ver com os seus atos. Na medida em que contribuem para que tomemos consciência da nossa total incapacidade para nos emanciparmos da existência viciosa, os atos são úteis; depois disso, compreendemos que eles constituem antes obstáculos que estímulo. Aqueles que obedecem aos mandamentos divinos nas suas ações, conscientes de que a faculdade de agir é um dom de Deus e não uma parte da natureza autoconsciente do homem, alcançam a liberdade a partir da própria necessidade de ação. Então, o coração puro é conquistado pela verdade e a identidade com a Divindade torna-se perceptível. O homem deve primeiro se ver livre da ideia de que *ele próprio* tudo pode na verdade, sabendo que todas as ações fazem parte das "três qualidades naturais",[41] não derivando de *modo algum* da alma. Deve, então, fazer com que todos os seus atos revertam em favor da *devoção*. Ou seja, dedicar todos os seus atos ao Supremo e não a si próprio. Ou *ele próprio* se arvora no Deus a quem são consagrados todos os seus sacrifícios, ou acaba por reconhecer o *outro* Deus, o verdadeiro – Ishvara; os seus atos e aspirações ou se voltam todos para si mesmo ou para o Todo. *Daí a importância da intenção*. Pois, se ele realiza obras que têm grande valor ou são proveitosas para o homem, ou então adquire os

41. Isto é, os três *gunas*.

conhecimentos necessários para assisti-lo, sendo movido a isso pura e simplesmente pela ideia de que assim alcançará a salvação, ele nada mais faz, na verdade, do que agir em seu próprio interesse e por essa razão sacrifica-se a *si* mesmo. Eis por que a sua devoção ao Todo deve ser íntima, consciente de que *não é ele próprio* o agente de seus atos, mas *mera testemunha* deles. Encerrado num corpo mortal, é ele assaltado por dúvidas que surgem repentinamente. Se elas aumentam, é porque ele ignora alguma coisa. Por essa razão, seria preciso que ele se tornasse capaz de extingui-las com a "espada do saber". Pois se ele contar com a resposta preparada para algumas dúvidas, poderá dissolvê-las facilmente. *Todas as dúvidas provêm da natureza inferior* e jamais, em caso algum, da natureza superior. Assim, à medida que ele se torna cada vez mais *devotado*, torna-se também cada vez mais capaz de reconhecer o saber que reside em sua natureza de Sattva (bondade). Pois este afirma: "O homem que se aprimora por meio da *devoção* (ou que a cultiva com perseverança), encontra espontaneamente em si próprio, com o correr do tempo, o conhecimento espiritual". E também: "Aquele que possui mente suspeitosa não desfruta nem deste nem do outro mundo (o mundo de Deva), nem da felicidade suprema". Esta última afirmação destrói a ideia de que se em nós existe um Eu Superior, este poderá, mesmo que sejamos insensíveis e desconfiados, triunfar sobre a necessidade de conhecimento e nos conduzir, junto com a humanidade inteira, até a felicidade suprema.[42]

42. *Path*, julho de 1889, p. 109.

A verdadeira oração consiste na contemplação de tudo o que existe de sagrado e na sua aplicação a nós mesmos, à nossa vida cotidiana e às nossas ações, acompanhada do desejo mais vivo e intenso de ampliar cada vez mais a sua influência, tornando a nossa vida mais perfeita e mais nobre, de modo tal que alguma verdade acerca dela nos seja concedida. Todos esses pensamentos devem estar intimamente ligados à consciência da Essência Suprema e Divina de que todas as coisas se originaram.[43]

O progresso espiritual é alcançado pela *concentração*. Deve ser cultivado diariamente *e estar a todo instante disponível*. A *meditação* tem sido definida como sendo a "suspensão da atividade de reflexão sobre os objetos externos". A *concentração* é a reunião de todas as energias vitais visando a um determinado fim. Por exemplo, a mãe dedicada é aquela que atende às necessidades de seus filhos, sejam quais forem elas, antes de qualquer outra coisa, não aquela que passa o dia inteiro sentada, pensando fixamente num tipo de necessidade apenas. O pensamento possui a faculdade de se autorreproduzir, de modo que a mente, ao se apegar com obstinação a uma ideia, deixa-se tingir por ela, sendo que todos os correlatos, por assim dizer, desse pensamento crescem em seu interior. É assim que o místico chega a conhecer qualquer objeto pensando nele constantemente, em demorada contemplação. É esse o fundamento racional das palavras de Krishna: "Pense sempre em mim; confie apenas em mim e seguramente estará ao meu lado". A

43. *Path*, agosto de 1889, p. 159.

vida é a melhor escola: é a grandiosa manifestação da Alma, e a Alma manifesta o Supremo. Eis por que todos os métodos são bons e por que todos eles são etapas em direção à meta grandiosa, que é a Devoção. "A Devoção é a ventura em ação", afirma o *Bhagavad Gita*. As faculdades psíquicas devem também, à medida que se manifestam, ser utilizadas, pois elas desvelam as leis. A sua importância, porém, não deve ser exagerada nem os seus riscos ignorados. O homem que se fia nelas é como aquele que se dobra ao orgulho e ao triunfo somente porque alcançou o primeiro recesso na trilha que leva aos cumes que se propôs escalar.[44]

---

44. *Path*, julho de 1889, p. 111.

VI

Há uma lei eterna segundo a qual o homem não pode ser redimido por uma força *exterior a si próprio*. Isso somente seria possível se um anjo tivesse visitado a Terra há muito tempo, enunciado verdades celestiais, e manifestando as faculdades de um ser espiritual, participado à consciência do homem centenas de verdades que ele ignora.[45]

Comete-se o crime no domínio do Espírito tão seguramente quanto nas manifestações do corpo. Aquele que por *qualquer* motivo odeia o outro, preza a vingança e não perdoa uma ofensa está invadido pelo espírito de assassinato, mesmo que ninguém tenha conhecimento disso. Aquele que se entrega a falsas crenças e se submete aos imperativos de qualquer instituição, blasfema

45. *Spirit of the Testament*, p. 508.

contra a sua própria alma divina e desse modo "invoca o nome de Deus em vão", mesmo sem fazer nenhum juramento. Aquele que deseja e se contenta com o mero prazer dos sentidos, tanto fora como dentro da relação conjugal, é o verdadeiro adúltero. Aquele que priva os seus companheiros da luz, do bem, de ajuda e da assistência que muito bem pode prestar-lhes e vive acumulando bens materiais para a sua gratificação pessoal, é o verdadeiro ladrão; e aquele que rouba aos seus companheiros a preciosa posse do caráter pela difamação ou por qualquer tipo de deturpação, não passa de um malfeitor, e da pior espécie.[46]

Se os homens se limitassem a ser honestos em relação a si mesmos e *bem-intencionados* em relação aos outros, ocorreria uma enorme mudança no seu julgamento quanto ao valor da vida e das coisas deste mundo.[47]

DESENVOLVER O PENSAMENTO. Concentrando todas as forças da sua alma, esforce-se para fechar as portas da mente a todos os pensamentos erradios, permitindo a entrada somente daqueles destinados a lhe revelar a irrealidade do mundo dos sentidos e a paz do mundo interior. Reflita dia e noite acerca da sua própria irrealidade e de tudo o que o cerca. A irrupção de *maus* pensamentos não é tão perniciosa quanto o são os pensamentos de ociosidade e indiferença. Como nos achamos sempre em guarda contra os maus pensamentos, dispostos a lutar contra eles e vencê-los, essa resolução acaba por fortalecer a vontade. Os pensamentos ociosos, no entanto, unicamente distraem a atenção e des-

---

46. *Spirit of the Testament*, p. 513.

47. *Theosophist*, julho de 1889, p. 590.

perdiçam energias. A primeira grande ilusão a ser superada é a da identificação com o seu próprio corpo físico. Habitue-se a pensar no corpo como não sendo mais do que uma casa na qual tem que se viver temporariamente, pois assim você jamais cederá às suas tentações. Tente, também, mediante árduos esforços, dominar o lado fraco de sua natureza, para tanto orientando o pensamento numa direção capaz de aniquilar todas as eventuais paixões. Após os primeiros esforços, você sentirá uma desolação e um vazio indescritíveis no seu coração; não se preocupe, apenas encare isso como o doce crepúsculo que precede o sol da felicidade espiritual. A tristeza não é um mal. Não se queixe; o que à primeira vista parece constituir apenas obstáculo e sofrimento, muitas vezes é, na verdade, o misterioso esforço da natureza para ajudá-lo em sua missão, se você souber como aproveitá-los. Encare *todas* as circunstâncias com a gratidão de uma criancinha.[48] Toda lamentação constitui uma rebelião contra a lei do progresso. O que se pode fazer é evitar *o sofrimento que ainda não se manifestou*. O passado não pode ser apagado nem alterado; não se pode nem se deveria descartar o que está associado às experiências do presente; o que se deve fazer é evitar as *antecipações perturbadoras* ou os *temores em relação ao futuro*, bem como todos os atos ou impulsos que possam trazer sofrimentos presentes ou futuros para os outros e para nós.[49]

48. *Theosophical Siftings*, nº 3, vol. 2, 1889.
49. *Yoga Aphorisms*, Patanjali.

VII

Não há nada mais valioso para um indivíduo do que possuir um ideal elevado ao qual possa aspirar continuamente, modelando por ele os seus pensamentos e sentimentos e traçando, desse modo, da melhor maneira possível, a sua vida. Assim, se ele se esforça por ser em vez de *parecer*, ele estará cada vez mais perto de sua meta. Todavia, ele não alcançará esse ponto sem luta, nem poderá manifestar a consciência do seu progresso pela arrogância, pois se o seu ideal é de fato elevado e o seu progresso em direção a ele efetivo, ele se sentirá antes humilhado do que cheio de si. A possibilidade de progressos posteriores e a idealização de planos de existência ainda mais elevados não refrearão o seu ardor, embora eliminem seguramente a sua presunção. É precisamente essa idealização das amplas possibilidades da vida humana que se faz necessária para acabar com o *ennui* e converter a apatia em atração pela vida. Assim, a vida vale a pena ser vivida quando se torna patente a sua missão e são divisadas as suas esplêndidas oportunidades. O caminho mais curto e seguro para alcançar esse plano superior é cultivar o *princípio do altruísmo*, tanto nos pensamentos como nas ações. Estreita, na verdade, é a visão do eu, que mede todas as coisas pelo interesse pessoal, pois enquanto a alma estiver autolimitada dessa maneira, é impossível que ela conceba qualquer ideal elevado ou aceda a qualquer plano superior da existência. As condições necessárias para essa elevação achamse mais no *interior* do que no exterior, sendo, felizmente, independentes das circunstâncias e contingências da vida. A oportunidade de passar de um plano a outro plano superior da existência é, portanto, oferecida a *todos*, que assim podem, trabalhando em comunhão com a natureza, atingir a última meta da vida.[50]

Se pensarmos que o objetivo da vida é simplesmente satisfazer o nosso ego material e prover o seu bem-estar, e que o bem-estar material gera o mais alto grau de felicidade possível, confundimos o inferior com o superior e tomamos uma ilusão pela verdade. A vida material que suportamos é uma consequência da constituição material do nosso corpo. Somos "vermes da terra", já que a ela associamos todas as nossas aspirações. Se pudéssemos trilhar o caminho da evolução, através do qual nos tornássemos menos materialistas e mais etéreos, estaríamos lançando as bases para um tipo totalmente diferente de civilização. As coisas que agora nos

50. *Man*, J. Buck, p. 106.

parecem indispensáveis e necessárias passariam a ser imprestáveis; se pudéssemos deslocar a nossa consciência de uma parte a outra do globo com a velocidade do pensamento, não mais necessitaríamos dos atuais meios de comunicação. Quanto mais nos afundamos na matéria, mais bens materiais tornam-se necessários para o nosso bem-estar; o deus poderoso e *essencial* que o homem traz em si *não é feito de matéria*, independendo das limitações que sobre ela pesam. Quais são as reais necessidades da vida? A resposta a essa pergunta depende totalmente do que entendemos por necessidade. Estradas de ferro, navios a vapor, etc., constituem atualmente necessidades para nós, mas milhões de pessoas viveram felizes em outras épocas sem sequer suspeitar que viessem a existir tais meios. Para alguns, uma dúzia de palácios pode ser uma necessidade imperiosa, para outros será uma carruagem, para outros ainda um cachimbo, e daí por diante. Mas todas essas necessidades somente existem porque o homem as criou. Elas proporcionam ao homem esse sentimento de autossuficiência e o tentam a fim de que ele permaneça nesse estágio e não aspire a nada mais elevado. Podem até mesmo prejudicar o seu desenvolvimento em vez de favorecê-lo. Se realmente desejamos progredir espiritualmente, as coisas materiais devem deixar de significar para nós uma necessidade. É a *ânsia* e o *desperdício do pensamento* visando ao aumento dos prazeres da vida inferior que impedem o homem de ingressar na superior.[51]

51. *Magic*, Hartmann, p. 61.

As origens do ritual na igreja e na maçonaria

I

Os teosofistas são muitas vezes injustamente acusados de infiéis e mesmo de ateus. É um grave erro, especialmente em se tratando da última acusação.

Numa Sociedade importante,[52] formada de membros pertencentes a tantas raças e nacionalidades diferentes; numa associação em que cada homem e cada mulher é livre para crer no que prefere, e de seguir ou não, segundo o seu desejo, a religião sob a qual nasceu e foi educado, há pouco lugar para o ateísmo. Quanto à acusação de "infiel", é contrassenso e fantasia. Para demonstrar o absurdo, basta-nos pedir a nossos difamadores que nos mostrem, no mundo civilizado, a pessoa que não seja considerada "infiel" por alguém pertencente a uma fé diferente. Quer se trate dos círculos alta-

52. A Sociedade Teosófica. (N. da T.)

mente respeitáveis e ortodoxos, ou da "sociedade" que se diz heterodoxa, será sempre o mesmo. É uma acusação mútua, tácita e não abertamente expressa; uma espécie de raquetes mentais, onde cada um devolve a bola num silêncio educado.

Em realidade, nenhum teosofista ou não teosofista pode ser "infiel", e por outro lado, não há ser humano que não o seja na opinião de um sectário qualquer. Quanto à acusação de ateísmo, é outro caso.

O que é ateísmo?, perguntamos em primeiro lugar. Será o fato de não se crer na existência de um Deus ou deuses, e de negá-la, ou será simplesmente a recusa em aceitar uma deidade pessoal, segundo a definição um tanto violenta de R. Hall, que define o ateísmo como um "sistema feroz que nada deixa *acima* de nós para inspirar o terror e nada ao nosso redor para despertar a ternura"! Isso é duvidoso para a maior parte dos nossos membros, caso se aceite a primeira condição, pois que os da Índia e da Birmânia, etc., acreditam em deuses, em seres divinos e temem alguns deles.

Assim, também, um grande número de teosofistas ocidentais não deixaria de confessar sua crença total em espíritos planetários ou do espaço, fantasmas ou anjos. Muitos dentre nós aceitam a existência de inteligências superiores ou inferiores, de seres tão grandes quanto qualquer Deus "pessoal". Isso não é segredo. A maior parte dentre nós crê na sobrevivência do Ego espiritual, nos Espíritos planetários e nos *Nirmanakayas,* esses grandes Adeptos de eras passadas, que, renunciando aos seus direitos ao Nirvana, permanecem nas esferas em que vivemos, não como "espíritos", mas como seres espirituais humanos completos.

Eles permanecem tais como foram, excetuando o que se refere a seus invólucros corporais visíveis, que abandonaram a fim de ajudar a pobre humanidade na medida em que essa ajuda possa ser dada, sem ir de encontro à lei kármica. Essa é realmente a "Grande Renúncia", um incessante sacrifício consciente através dos *éons* e eras, até o dia em que os olhos da humanidade se abrirem e, em lugar de um pequeno número, *todos* reconhecerem a Verdade universal. Se permitissem que o fogo que anima o nosso coração, como a ideia do mais puro de todos os sacrifícios, fosse inflamado pela adoração e oferecido sobre um altar elevado em sua honra, esses seres poderiam ser considerados como Deus ou Deuses. Mas não o querem. Em verdade, é somente na parte mais íntima do coração que se deve elevar, nesse caso, o mais belo templo de devoção; qualquer outra coisa não seria mais que ostentação profana.

Consideremos agora outros seres invisíveis, dos quais alguns estão muito acima e outros muito abaixo na escala da evolução divina. Dos últimos nada temos a dizer; quanto aos primeiros, nada nos podem dizer, porquanto nós não existimos perante eles. O homogêneo não pode ter conhecimento do heterogêneo e (a não ser que aprendamos a fugir do nosso invólucro material para "comungar" de espírito a espírito) não podemos esperar conhecer sua natureza real.

Mas todo verdadeiro teosofista afirma que o Eu Superior divino de cada homem mortal é da mesma essência que a desses deuses. O ego encarnado, dotado de livre-arbítrio, possuindo por isso maior responsabilidade, é, a nosso ver, superior, e até, talvez, mais divino que qualquer *inteligência espiritual* que ainda espera a encarnação. Do ponto de vista filosófico, a razão é clara, e todo metafísico da escola oriental a compreenderá. O ego encarnado está na dependência das dificuldades que não existem para a pura Essência divina não associada à matéria; nesse caso não há nenhum mérito pessoal, ao passo que o ego em encarnação está no caminho de seu aperfeiçoamento final por meio das provações da existência, da tristeza e do sofrimento.

A sombra do karma não pode se estender sobre o que é divino, isento de qualquer ligação e tão diferente do que somos que não pode haver entre nós relação alguma. Quanto a essas deidades, que no panteão esotérico hindu são consideradas finitas e por conseguinte sujeitas ao karma, jamais um verdadeiro filósofo consentirá em adorá-las; são figuras e símbolos.

Seremos nós, então, considerados ateus porque, crendo nas Falanges Espirituais – nesses seres que vieram a ser adorados na sua coletividade como um Deus *pessoal* – recusamo-nos terminantemente a considerá-las como representantes do Uno Incognoscível? Porque afirmamos que o Princípio Eterno – *o Todo no Todo do Poder Absoluto, da Totalidade* – não pode ser expresso por palavras limitadas nem ter por símbolo qualquer atributo condicionado e qualificativo? Ainda mais, deixaremos passar sem protesto a acusação de idolatria que atiram sobre nós os católicos-romanos, os quais seguem uma religião tão pagã quanto a dos adoradores dos elementos do sistema solar? Católicos que tiraram o seu credo, aliás diminuído e dissecado, do paganismo existente já muitas eras antes do ano I da Era Cristã? Católicos cujos dogmas e ritos são os mesmos que os de qualquer nação idólatra – se é que alguma ainda existe?

Sobre toda a superfície da Terra – do Polo Norte ao Polo Sul, dos golfos gelados dos países nórdicos às planícies tórridas do sul da Índia, na América Central, na Grécia e na Caldeia – era adorado o Fogo Solar, como símbolo do Poder Divino, criador da vida e do amor. A união do sol (o espírito – elemento masculino) com a terra e a água (a matéria – elemento feminino) era celebrada nos templos do universo inteiro. Se os pagãos tinham uma festa comemorativa dessa união – a festa que celebravam nove meses antes do solstício de inverno, quando se dizia que Ísis tinha concebido – também a têm os católicos-romanos.

O grande e *santo dia* da *Anunciação*, o dia no qual a "Virgem Maria" recebeu o favor de (seu) Deus e concebeu o "Filho do Altíssimo", é celebrado pelos cristãos *nove meses antes do Natal*. De onde vem a adoração do fogo, das luzes e lâmpadas nas igrejas? Por que isso? Porque Vulcano, o deus do fogo, desposou Vênus, a deusa do mar; e é por essa mesma razão que os Magos velavam o Fogo Sagrado como as virgens vestais no Ocidente. O Sol era o "Pai" da eterna Natureza Virgem-Mãe; Osíris e Ísis; Espírito-Matéria, este último adorado sob seus três aspectos pelos pagãos e cristãos. Daí vêm as Virgens – dá-se o mesmo no Japão – vestidas de azul estrelado, apoiadas sobre o crescente lunar, símbolo da natureza feminina (em seus três elementos: ar, água e fogo); o Fogo ou o Sol, macho, fecundando-a anualmente pelos seus raios luminosos (as "línguas de fogo" do Espírito Santo).

No *Kalevala*, o mais antigo poema épico dos finlandeses de antiguidade pré-cristã, o que nenhum erudito poderá duvidar, fala-se dos deuses da Finlândia, dos deuses do ar e da água, do fogo e das florestas, do céu e da Terra. Na magnífica tradução de J. M. Grawford, *Rume L* (vol. 11) o leitor achará a lenda inteira da Virgem Maria em:

> *Mariatta*, filha de beleza,
> Virgem-Mãe das terras nórdicas... (p. 720).

Ukko, o Grande Espírito, cuja morada é em Yumala (o Céu ou Paraíso), escolhe como veículo a virgem Mariatta para se encarnar por meio dela em Homem-Deus. Ela concebe colhendo e comendo uma baga vermelha (marja). Repudiada pelos pais, dá nascimento a um "*Filho imortal*" numa *manjedoura de estábulo*. Mais tarde o "Santo Menino" desaparece e Mariatta se põe a procurá-lo. Ela pergunta a uma estrela, a "estrela diretriz dos países nórdicos", onde se esconde o "Santo Menino", mas a estrela irritada responde-lhe:

> Se eu o soubesse, não lhe diria;
> Foi seu filho quem me criou
> No frio, para brilhar sempre...

e nada mais diz à virgem. A Lua dourada tampouco consente em ajudá-la, pois o filho de Mariatta a criou e a deixou no grande céu:

> Aqui para vagar nas trevas,
> Para vagar sozinha à noite,
> Brilhando para o bem dos outros...

Somente o "Sol prateado", tendo pena da Virgem-Mãe, lhe diz:

Acolá está a criança dourada;
Lá repousa dormindo teu Santo-Menino,
Encoberto pela água até a cintura,
Escondido pelos caniços e juncos ...

Ela traz de volta o Santo-Menino, e enquanto o chama de "Flor", outros o nomeiam o *Filho da dor*.

Estaremos em presença de uma lenda pós-cristã? Absolutamente não, pois, como já foi dito, trata-se de uma lenda de *origem essencialmente pagã* e reconhecidamente pré-cristã.

Resulta que, com tais dados literários em mãos, devem cessar as acusações sempre repetidas de idolatria e ateísmo. Aliás, o termo "idolatria" é de origem cristã. Foi empregado pelos primeiros nazarenos durante os dois primeiros séculos e metade do terceiro da nossa era, contra as nações que usavam templos e igrejas, estátuas e imagens, porquanto primitivos cristãos não possuíam *nem templos, nem estátuas, nem imagens*, e sentiam horror por essas coisas.

Por conseguinte, o termo "idólatras" convém mais aos nossos acusadores que a nós mesmos, como o provará este artigo. Com suas Madonas em todas as esquinas, milhares de estátuas de Cristo e anjos de todas as formas, até a de santos e papas, é bastante perigoso para um católico acusar um hindu ou budista de idolatria.

Essa afirmação deve agora ser provada.

II

Podemos começar pela origem da palavra Deus (*God*).

Qual é o significado real e primitivo desse termo? Seus significados e etimologias são tão numerosos quanto variados. Um deles nos mostra a palavra derivada do termo persa muito antigo e místico: *Goda*, que quer dizer "ele mesmo", ou alguma coisa emanada por si mesma do Princípio absoluto. A raiz da palavra é *Godan*, de onde Wotan e Odin, cujo radical oriental quase não foi alterado pelas raças germânicas. Foi assim que desse radical fizeram *Gotz*, de onde derivaram o adjetivo *Gut*, "Good" (bom), assim com o termo *Gota* ou ídolo. Da Grécia antiga as palavras *Zeus* e *Theos* conduziram à palavra latina Deus. Esse *Goda*, a emanação, não é e nem pode ser idêntico à coisa da qual emana e, por conseguinte, é apenas uma manifestação periódica, finita. O antigo Aratus, que escreveu "cheios de Zeus estão todas as ruas e mercados frequentados pelos homens; cheios d'Ele estão os mares e também os portos", não limita a divindade a um só reflexo temporário em nosso plano terrestre como *Zeus*, ou mesmo seu antecedente *Dyaus*, mas estende-a ao Princípio universal, onipresente. Antes de *Dyaus* – o Deus radioso (o céu) – ter atraído a atenção do homem, existia o Tat védico ("isso"), que para o iniciado e o filósofo não tem nome definido, e é a noite absoluta, oculta sob cada radiante luz manifestada. Mas tanto quanto o mítico Júpiter, último reflexo de Zeus-Surya, o Sol – a primeira manifestação no mundo de *Maya*, o filho de Dyaus – não podia deixar de ser chamado o "Pai" pelo ignorante.

Assim, o Sol tornou-se rapidamente sinônimo de Dyaus e com ele se confundiu: para alguns foi o Filho, para outros o "Pai" no céu radioso. Dyaus-Pitar, o Pai no Filho e o Filho no Pai, mostra, entretanto, sua origem finita, pois que a Terra lhe foi designada para esposa. Foi durante a plena decadência da filosofia metafísica que *Dyavaprithivî*, "o Céu e a Terra", começaram a ser representados como os pais cósmicos, universais, não somente dos homens mas também dos deuses. A concepção original da causa ideal que era abstrata e poética, caiu na vulgaridade. Dyaus, o céu, tornou-se rapidamente Dyaus, o Paraíso, a mansão do "Pai" e, finalmente, o próprio Pai. Em seguida, o Sol se tornou símbolo deste último, recebendo o título de *Dina Kara*, "aquele que cria o dia", de Bhâskara, "aquele que cria a luz", e desde então o Pai de seu Filho e vice-versa.

O reino do ritualismo e do culto antropomórfico foi daí por diante estabelecido, e finalmente domina o mundo inteiro, estendendo a sua supremacia até a nossa era civilizada.

Sendo tal a origem comum, nada mais nos resta que estabelecer o contraste entre as duas divindades – o Deus dos gentios e o Deus dos judeus – e, julgando-as segundo sua própria definição, concluiremos intuitivamente qual deles se aproxima mais do ideal máximo.

Citaremos o coronel Ingersoll que colocou Jeová e Brahma em paralelo. Das nuvens e das trevas do Sinai, Jeová diz aos judeus:

> "Não reconhecerás outros deuses fora de mim... Não te prosternarás diante deles, nem os servirás, pois, Eu, o Senhor, teu Deus, sou um Deus ciumento, que transfiro as iniquidades dos pais aos filhos até a terceira e quarta geração, para que Me temam".

Comparemos isso com as palavras que o hindu colocou na boca de Brahma:

> "Eu sou o mesmo para todos os seres. Aqueles que honestamente servem outros deuses, involuntariamente me adoram. Eu sou Aquele que participa de toda adoração e sou a recompensa de todos os adoradores".

Analisemos esses textos. O primeiro, passagem obscura onde se insinuam coisas que nascem do charco; o segundo, grande como o firmamento, cuja abóbada está crivada de sóis.

O primeiro mostra o deus que obcecava a imaginação de Calvino, quando à sua doutrina da predestinação acrescentava a do inferno forrado pelos crânios das crianças *não batizadas*. As crenças e os dogmas de nossas igrejas são, pelas ideias que implicam, mais blasfematórias que as dos pagãos *mergulhados nas trevas*...

Realmente, eles poderão adornar e mascarar o quanto quiserem o Deus de Abraão e Isaque, porém jamais serão capazes de refutar a categórica afirmação de Marcião, que nega ser o Deus do ódio o mesmo que o "Pai de Jesus". Seja como for, heresia ou não, o "Pai que está no céu" das igrejas se tornou desde essa época uma criatura híbrida, uma mescla do *Jave* (Júpiter) do povo, entre os pagãos, e do "Deus ciumento" de Moisés; exotericamente o Sol, cuja mansão está nos céus, ou, esotericamente, o céu.

O brilhante Dyaus, o Filho, não dá nascimento à luz "que brilha nas trevas"; ao dia, e não é ele o Altíssimo *Deus Coelum*? E não é ainda a "*Terra*" a Virgem sempre imaculada que, concebendo sem cessar, fecundada pelo ardente abraço de seu "Senhor" – os vivificantes raios do Sol – se torna, na esfera terrestre, a mãe de tudo que vive e respira em seu vasto seio? Daí, no ritual, o caráter sagrado daquilo que ela produz: o pão e o vinho. Daí vem também o antigo *messis*, o grande sacrifício à deusa das colheitas (Ceres Eleusina, ainda a Terra): *messis* para os iniciados, *missa para os profanos*,[53] que hoje veio a ser a missa cristã ou litúrgica. A antiga oferta dos frutos da terra ao Sol, o *Deus Altissimus*, sím-

53. De *pro* "antes" e *fanum* "templo", quer dizer, os não iniciados que se postam ao templo e não ousam entrar.

bolo do G.:.A.:.D.:.U.:. dos franco-maçons de hoje, tornou-se a base do ritual, a mais importante dentre as cerimônias da nova religião. A adoração oferecida a Osíris-Ísis (o Sol e a Terra),[54] a Bel e à cruciforme Astarté dos babilônios, a Odin ou Thor e Freya dos escandinavos, a Belém e à *Virgo Paritura* dos celtas, a Apolo e à *Magna Mater* dos gregos, passaram como representação corporal para os cristãos e foram transformados por eles em Senhor Deus, ou no Espírito Santo descendo sobre a Virgem Maria.

Deus Sol ou *Solus*, o Pai, foi confundido com o Filho: na sua glória radiosa do meio-dia, o "Pai" tornou-se o "Filho" do Sol Levante, quando se dizia que ele "havia nascido". Essa ideia recebia sua plena apoteose anualmente, em 25 de dezembro, durante o solstício de inverno, quando o Sol – dizia-se – nascia e era o mesmo para os deuses solares de todas as nações. *Natalis soli invicti.*[55] E o "precursor" do Sol ressuscitado cresce e fortifica-se até o equinócio da primavera,* quando o Deus-Sol principia o seu curso anual sob o signo de *Ram* ou Áries, na primeira semana lunar do mês.

O primeiro de março era festejado em toda a Grécia pagã, e suas *neomenia* eram consagradas a Diana. Pela mesma razão, as nações cristãs celebram sua festa de Páscoa no primeiro domingo que segue a Lua cheia do equinócio da primavera. Do mesmo modo que as

---

54. A Terra e a Lua, sua parente, são similares. Assim todas as deusas lunares eram também símbolos que representavam a Terra (ver "Doutrina Secreta", Simbolismo).

55. Nascimento do Sol invicto (N. da T.)

* No dia 21 de março no hemisfério Norte (N. do R.)

festas pagãs, as vestimentas *canônicas* foram copiadas pelo Cristianismo. Pode ser isso negado? Em seu livro *Vida de Constantino,* Eusébio confessa, dizendo talvez a única verdade que jamais proferiu em sua vida, que "*para tornar o Cristianismo mais atraente aos gentios, os sacerdotes (do Cristo) adotaram as vestimentas exteriores e os ornamentos utilizados no culto pagão*". Poderia igualmente ter acrescentado: seus rituais e dogmas.

III

Ainda que não se possa reportar ao testemunho da história, é no entanto um fato histórico – pois um grande número de fatos relatados pelos antigos escritores o corrobora – ter o ritual da Igreja e da Franco-maçonaria brotado da mesma fonte e se desenvolvido de mãos dadas...

A Maçonaria era simplesmente, em sua origem, um gnosticismo arcaico ou um Cristianismo esotérico primitivo; o ritual da Igreja era e *é* um *paganismo exotérico* pura e simplesmente *remodelado*, pois não poderemos dizer reformado.

Vejamos as obras de Ragon, um maçom legado ao esquecimento mesmo pelos maçons de hoje. Estudemos, colecionemos os fatos acidentais, mas numerosos, que se encontram nos escritores gregos e latinos; diversos deles eram iniciados, e a maioria, neófitos instruídos e participantes dos Mistérios. Vejamos, enfim, as calúnias, cuidadosamente elaboradas pelos padres da Igreja contra os gnósticos, os Mistérios e seus iniciados, e acabaremos por descobrir a verdade. O Cristianismo foi fundado por um pequeno número de filósofos pagãos, que foram perseguidos pelos acontecimentos políticos da época, cercados e tiranizados pelos bispos fanáticos do Cristianismo primitivo, o qual ainda não possuía nem ritual, nem dogmas, nem igrejas.

Misturando da maneira a mais irreligiosa as verdades da religião-sabedoria com as ficções exotéricas tão gratas às massas ignorantes, foram eles (os filósofos pagãos) que fundaram os primeiros rituais das igrejas e das lojas da Franco-maçonaria moderna. Este último fato foi demonstrado por Ragon no seu *Anteomnlae* da liturgia moderna, comparada com os antigos mistérios, e mostrando o ritual empregado pelos primeiros franco-maçons.

A primeira afirmação pode ser verificada com ajuda de uma comparação entre os costumes em uso nas igrejas, os vasos sagrados, as festas das igrejas latinas e outras, e essas mesmas coisas nas nações pagãs. Mas as Igrejas e a Franco-maçonaria divergiram por completo, após haverem se constituído numa só unidade. Se alguém se espantar por um profano ter conhecimento disso, nós responderemos: o estudo da antiga Franco-maçonaria e da Maçonaria moderna é obrigatório para todo ocultista oriental.

A Maçonaria, apesar de seus acessórios e inovações modernas (particularmente a introdução nela do espírito bíblico) faz o bem, tanto no plano físico como no moral; pelo menos era assim que agia faz apenas dez anos.

É uma verdadeira *ecclesia* no sentido de união fraternal e de ajuda mútua, a única "religião" no mundo, se considerarmos o termo como derivado da palavra *religare* (ligar), pois que une todos os homens que a ela se filiam como "irmãos", sem preocupações da raça ou fé. Quanto a saber se ela não pôde fazer muito mais do que fez até hoje, com as enormes riquezas que tinha à sua disposição, isso não é da nossa alçada. Até hoje nunca vimos mal algum saído dessa instituição, e ninguém, fora da Igreja Romana, jamais afirmou tal coisa. Pode-se dizer o mesmo da Igreja?

Que a história profana e a história eclesiástica respondam à pergunta.

Primeiramente, a Igreja dividiu a humanidade em Cains e Abels; massacrou milhões de homens em nome de seu Deus: o Deus dos Exércitos – em verdade o feroz Jehovah Sabbaoth – e, em vez de dar uma força impulsiva à civilização, da qual seus fiéis se vangloriam orgulhosamente, retardou-a durante a longa e insípida Idade Média.

Somente sob os ataques repetidos da ciência e o prosseguimento da revolta dos homens procurando libertar-se, é que a Igreja começou a perder terreno e não pôde impedir a luz por mais tempo. Suavizou, como ela própria o afirma, o "espírito bárbaro do paganismo"? Com todas as nossas forças diremos: Não... Os Césares pagãos foram mais sôfregos de sangue ou mais friamente cruéis do que os potentados modernos e seus exércitos? Em que época se acharam milhões de proletários tão esfomeados como os dos nossos dias? Quando a humanidade derramou mais lágrimas e sofreu mais que no período presente?

Sim, houve uma época em que a Igreja e a Maçonaria foram unidas. Foram então séculos de intensa reação moral, um período de transição em que o pensamento era tão incômodo como um pesadelo, uma idade de luta. Assim, quando a criação de novos ideais conduziu à aparente destruição de velhos templos e de velhos ídolos, em realidade o que aconteceu foi a reconstrução desses templos com a ajuda dos velhos materiais e a reabilitação dos mesmos ídolos sob novos nomes. Foi uma reorganização paliativa universal, mas somente "à flor da pele".

A história jamais nos dirá – mas a tradição e as pesquisas judiciosas nos ensinam – quantos semi-Hierofantes e altos Iniciados foram obrigados a se tornar apóstatas para assegurar a sobrevivência dos segredos da Iniciação. Praetextatux, procônsul da Arcádia, é digno de fé quando, no século IV da nossa era, observou que "privar os gregos dos mistérios sagrados *que ligavam a humanidade inteira,* equivalia a privá-los da vida". Talvez os Iniciados o tivessem compreendido; eles se reuniram *nolens volens* aos partidários da nova fé que começava a dominar, e agiram consequentemente.

Alguns judeus gnósticos helenizantes fizeram o mesmo, e assim, mais de um Clemente de Alexandria – um converso na aparência mas de coração um ardente neoplatônico e filósofo pagão – tornaram-se os instrutores dos ignorantes bispos cristãos. Numa palavra, o converso *a contragosto* reuniu as duas mitologias exteriores, a antiga e a nova, e dando o amálgama à multidão, guardou para si as verdades sagradas.

O exemplo de Sinésio, neoplatônico, nos mostra o que foram essas espécies de cristãos. Qual o sábio que ignora ou nega o fato de que o discípulo devotado e favorito de Hypatia – a virgem filósofa e mártir, vítima de infâmia de Cirilo de Alexandria – nem mesmo tinha sido batizado quando os bispos do Egito lhe ofereceram o arcebispado de Ptolomaida? Todo estudante sabe que, depois de ter aceitado a proposta sem refletir, mas somente dando o seu consentimento real por escrito depois de suas condições aceitas e seus futuros privilégios garantidos, é que finalmente foi batizado. Dentre essas condições, havia uma, a principal, que era realmente curiosa: que lhe fosse permitido *sine qua non* a abstenção de professar as doutrinas cristãs nas quais ele, o novo bispo, não acreditava. Assim, mesmo batizado e ordenado nos dogmas do diaconato, do sacerdócio e do episcopado, ele jamais se separou de sua mulher, jamais abandonou a filosofia platônica, e tampouco seus divertimentos (esportes), tão estritamente interditos a outros bispos. Isso aconteceu no final do século V.

Semelhantes concessões entre filósofos iniciados e sacerdotes reformados do Judaísmo foram numerosas nessa época. Os primeiros procuravam manter seus juramentos prestados aos Mistérios e sua dignidade pessoal. Para isso eram obrigados a recorrer a compromissos lamentáveis com a ambição, a ignorância e a nascente vaga de fanatismo popular. Acreditavam na Unidade Divina, o Um ou *Solus* incondicional e incognoscível e, entretanto, consentiam em homenagear o Sol em público, o Sol que se movia entre seus doze apóstolos, os signos do zodíaco, ou os doze filhos de Jacó. O *hoi polloi* (o povo), mantido na ignorância do Único, adorava o Sol e cada um interiormente homenageava o Deus que antes honrara. Não era difícil transferir essa adoração das divindades solares e lunares e de outras divindades cósmicas, para os tronos, arcanjos, dominações e santos, ainda mais que essas divindades siderais foram admitidas no novo cânone cristão com seus antigos nomes, quase sem mudança alguma. Assim é que, durante a missa, o "Grande Eleito" renovava em voz baixa sua adesão absoluta à Unidade Suprema Universal do "Incompreensível Artífice", e solenemente, em voz alta, pronunciava a palavra sagrada, enquanto seu assistente continuava o *Kyrie* dos nomes dos seres siderais inferiores que as massas deviam adorar.

Aos profanos catecúmenos que, poucos meses ou semanas antes, ofereciam suas orações ao boi Ápis e aos santos Cynocéfalos, a Ibis sagrada e a Osíris de cabeça de falcão, em verdade a águia de São João,[56] e à

56. É erro dizer-se que só depois do século XVI João Evangelista se tornou o Santo Patrono da Franco-maçonaria. Há sobre o fato um erro duplo. Entre João o "Divino", o "Vidente", o autor do Apocalipse, e João o Evangelista, representado hoje em companhia da águia, há uma grande diferença. João Evangelista é uma criação de Irineu, tanto quanto o quarto Evangelho. Um e outro foram o resultado da disputa entre o bispo de Lyon e os gnósticos, e jamais poderemos saber quem foi o autor real do maior dos Evangelhos. Mas o que sabemos é que a águia é propriedade legal de João, o autor do Apocalipse, cuja origem remonta a séculos antes de Jesus Cristo, e foi reeditado somente antes de receber a hospitalidade canônica. Esse João, ou Johanes, era o patrono aceito por todos os gnósticos gregos e egípcios (que foram os primeiros construtores ou pedreiros do Templo de Salomão, como anteriormente o foram das pirâmides). A águia, seu atributo – o mais arcaico dos símbolos – era o *Ah*, o pássaro de Zeus, consagrado ao Sol por todos os antigos povos. Os cabalistas Iniciados, mesmo entre os judeus, adotaram-na como o símbolo de Sephira Ti-phi-e-reth, o *Aether* Espiritual ou *ar*, como diz M. Myers na Cabala. Entre os druidas, a águia foi símbolo da Divindade Suprema e uma parte desse

Pomba Divina (a que paira sobre o cordeiro de Deus no batismo), lhes pareciam ser o desenvolvimento natural e o prosseguimento de sua própria zoologia nacional e sagrada, que haviam aprendido a adorar desde a sua infância.

símbolo se ligava aos querubins. Adotado pelos gnósticos pré-cristãos, pode-se vê-lo aos pés do Tau no Egito, antes de ter sido posto no grau rosa-cruz aos pés da cruz cristã. Além do mais, o pássaro do Sol, a águia, é essencialmente ligado a cada deus solar; é o símbolo de todo vidente que olha na luz astral e ali vê a sombra do passado, do presente e do futuro, tão facilmente quanto a águia contempla o Sol.

IV

Pode-se, pois, demonstrar que a Franco-maçonaria moderna e o ritual da Igreja descendem em linha reta dos gnósticos iniciados, neoplatônicos, e dos Hierofantes que renegaram os mistérios pagãos, cujos segredos perderam, sendo mantidos apenas por aqueles que jamais aceitaram compromissos. Se a Igreja e a Maçonaria querem se esquecer da história de sua verdadeira origem, o mesmo não acontece com os teosofistas. Eles repetem: a Maçonaria e as três grandes religiões cristãs herdaram os mesmos bens. As "cerimônias e palavras de passe" da Maçonaria, e as orações, os dogmas e ritos das religiões são cópias disfarçadas do puro paganismo (copiados e emprestados prontamente pelos judeus), e da teosofia neoplatônica. Igualmente, as "palavras de passe" empregadas hoje pelos *maçons bíblicos*, relacionadas com "a tribo de Judá", os nomes de "Tubal-Caim" e outros dignitários zodiacais do Antigo Testamento, não são mais que aqueles aplicados pelos judeus aos antigos deuses da plebe pagã; não os deuses dos Hierogramatas intérpretes dos verdadeiros mistérios. Acharemos a prova disso no que segue. Os bons irmãos maçons dificilmente poderiam negar que, de nome, eles são *solícolas*, os adoradores do Sol nos céus, em que o erudito Ragon via o magnífico símbolo do G.·.A.·.D.·.U.·. como o é seguramente.

A única dificuldade para ele estava em provar – o que ninguém pode fazer – que o G:.A:.D:.U:. não era o Sol das quireras exotéricas dos *Profanos*, mas o *Solus do Grande Epoptae*. Pois o segredo dos fogos de *Solus*, o espírito que cintila na Estrela Flamejante, é um segredo hermético, e a não ser que um maçom estude a verdadeira teosofia, esse segredo está perdido para ele. Nem mesmo as pequenas indiscrições de *Ttshuddi* ele compreende. Hoje em dia, os maçons, com os cristãos, santificam o dia do *sabbat* e o chamam dia do Senhor; entretanto, como qualquer um, eles sabem que o *Sunday* dos ingleses ou o *Sonntag* dos alemães significa o *dia do sol*, como há dois mil anos.

E os senhores, reverendos bons padres, sacerdotes e bispos que chamam tão carinhosamente a teosofia de "idolatria" e condenam, abertamente e em particular, seus adeptos à perdição eterna, podem se vangloriar de possuir um simples rito, uma só vestimenta ou um vaso sagrado, seja na igreja, seja no templo, que não tenha vindo do paganismo? Não; seria demasiado perigoso afirmá-lo, não somente perante a história, como ante as confissões das autoridades sacerdotais.

Recapitulemos, somente para justificar as asserções. Du Choul escreve:

"Os sacrificadores romanos deviam confessar-se antes do sacrifício. Os sacerdotes de Júpiter usavam um chapéu preto, alto e quadrado, o chapéu dos flamínios (ver os chapéus dos sacerdotes armênios e gregos modernos). A sotaina negra dos padres católicos-romanos é a 'hierocarace' preta, a roupagem dos sacerdotes de Mithra, assim chamada por ser a cor dos corvos (*corax*). O rei sacerdote de Babilônia possuía um sinete que trazia no dedo, um anel de ouro. Suas sandálias eram beijadas pelos potentados submissos a seu domínio; um manto branco, uma tiara de ouro com duas pequenas faixas. Os Papas possuem o anel de ouro, as sandálias para o mesmo uso, um manto de cetim branco bordado de estrelas de ouro, a tiara com as pequenas faixas cobertas de pedras preciosas, etc.... A vestimenta de linho branco (*alba vestis*) é a mesma dos sacerdotes de Ísis; os sacerdotes de Anúbis têm o alto da cabeça raspada (Juvenal), da qual deriva a tonsura; a casula dos padres cristãos é a cópia da vestimenta que usavam os sacerdotes sacrificadores dos fenícios, vestimenta chamada *calársis*, que, presa ao pescoço, descia até os pés. A estrela dos nossos sacerdotes veio da vestimenta feminina usada pelos *galli*, os dançarinos do Templo, cuja função era a mesma do *kadashin* judeu (para o verdadeiro termo, veja-se II Reis XXIII, 7); seus *cintos de pureza* vêm do *ephode* dos judeus e da corda dos sacerdotes de Ísis; estes eram votados à castidade (sobre pormenores ver Ragon)".

Os antigos pagãos usavam a água santa, ou lustral, para purificar suas cidades, seus campos, seus templos e os homens; tudo isso é praticado hoje nos países católicos-romanos. As fontes batismais ficavam à porta de cada templo, cheias de água lustral e chamavam-se *favisses* e *aquiminaria*. Antes de oferecer o sacrifício, o Pontífice ou *curion* (cura) mergulha um ramo de louro na água lustral para aspergir toda a piedosa congregação; o que era então chamado *lustrica* e *aspergilium*, é hoje chamado hissope ou aspersório. Esse aspersório, nas mãos das sacerdotisas de Mithra, era o símbolo do *lingam* universal; durante os mistérios, era mergulhado no leite lustral para aspergir os fiéis. Era o emblema de fecundidade universal; o uso da água benta no Cristianismo é, portanto, um rito de origem fálica. Ainda mais, a ideia subjacente nesse fato é puramente oculta e pertence ao cerimonial mágico.

As purificações eram ultimadas pelo fogo, pelo enxofre, pelo ar e pelos elementos. Para obter a atenção dos deuses celestes, havia o recurso das abluções, e para conjurar e afastar os deuses inferiores era usado o aspersório.

A abóbada das catedrais e igrejas gregas ou romanas é, muitas vezes, pintada de azul e juncada de estrelas douradas, para representar a abóbada celeste. Isso é copiado dos templos egípcios, onde o Sol e as estrelas eram adorados. A mesma homenagem é feita ainda no Oriente, na época do paganismo, pela arquitetura cristã e maçônica. Ragon estabelece plenamente esse fato em seus volumes, hoje destruídos. A "*princeps porta*", a porta do mundo e do "Rei de Glória" – nome pelo qual era designado o Sol e que é agora aplicado ao seu símbolo humano, o Cristo – é a porta do Oriente, de frente para o leste em todo templo ou igreja. É por essa "porta de vida", a via solene por onde entra diariamente a luz para o quadrado oblongo[57] da Terra, ou o tabernáculo do Sol, que o recém-nascido é levado às fontes batismais. É à esquerda do edifício (o norte sombrio de onde partem os "aprendizes" e onde os candidatos passam pela *prova da água*) que as pias batismais são colocadas hoje em dia, e onde se achavam, na antiguidade, as piscinas de água lustral, tendo sido templos pagãos as antigas igrejas. Os altares da Lutécia pagã foram enterrados e reencontrados sob o coro da igreja de Notre-Dame de Paris, onde ainda hoje existe o poço onde era conservada a água lustral. Quase todas as grandes e antigas igrejas do continente, anteriores à Idade Média, primitivamente eram templos pagãos ou foram construídas no mesmo lugar, em consequência das ordens dadas pelos bispos e papas romanos. Gregório, o Grande, assim dá suas ordens ao frade Agostinho, seu missionário na Inglaterra: "Destrua os ídolos, jamais os templos. Borrife-os de água benta, coloque neles relíquias, e que os povos as adorem nos lugares onde estão acostumados a fazer isso".

Consultemos as obras do Cardeal Baronius em seus Anais do ano XXXVI, para encontrar a sua confissão. "Foi permitido", diz ele, "à Santa Igreja *apropriar-se dos*

57. Termo maçônico, um símbolo da arca de Noé e da Aliança, do templo de Salomão, do tabernáculo e do campo dos israelitas, todos construídos em "quadrados oblongos". Mercúrio e Apolo eram representados por cubos e quadrados oblongos, e dá-se o mesmo na Kaaba, o grande templo de Meca.

ritos e cerimônias utilizados pelos pagãos no seu culto idólatra, pois que ela (a Igreja) *os regeneraria pela sua consagração.* Nas "antiguidades gaulesas" de Fauchet, lemos que os bispos da França adotaram e usaram as cerimônias pagãs a fim de converter os pagãos ao Cristianismo.

Isso se passou quando a Gália era ainda um país pagão. Os mesmos ritos e as mesmas cerimônias, em uso hoje em dia na França cristã e em outras nações católicas, serão realizados num espírito de gratidão e reconhecimento aos pagãos e seus deuses?

V

Até o século IV, as igrejas não possuíam altares. Até então, o altar era uma mesa colocada no meio do templo para uso da comunhão ou repasto fraternal. (A Ceia, como missa, era, em sua origem, dita à noite.) Igualmente, hoje em dia, a mesa é posta na "Loja" para os banquetes maçônicos no final das atividades da Loja, nos quais os Hiram Abiff ressuscitados, os "filhos da viúva", enobrecem os seus brindes pelo "fining", uma forma maçônica de transubstanciação. Chamaremos também de altares às mesas de seus banquetes? Por que não? Os altares foram copiados da *Ara Maxima* da Roma pagã. Os latinos colocavam pedras quadradas e oblongas perto de seus túmulos e as chamavam *Ara,* altar; eram consagradas aos deuses dos lares e aos Mânes. Nossos altares derivam dessas pedras quadradas outras formas dos marcos-limites conhecidos como Deuses –

Termos, os Hermes e os Mercúrio, de onde vêm os Mercúrio "*quadratus, quadrífidos*, etc....", os deuses de *quatro faces* dos quais as pedras quadradas são símbolos desde a mais alta antiguidade. A pedra sobre a qual eram coroados os antigos reis da Irlanda era um altar idêntico; existe uma dessas pedras na abadia de Westminster, à qual, além disso, se atribui uma voz. Assim, todos os nossos altares e tronos descendem diretamente dos marcos-limites priápicos dos pagãos, os Deuses-Termos.

O leitor fiel aos ensinamentos da Igreja se sentirá indignado se lhe ensinarmos que somente sob o reinado de Deocleciano os cristãos adotaram o *costume pagão* de adoração em templos? Até essa época sentiam insuperável horror aos altares e templos, e durante os primeiros 250 anos de nossa era os consideravam uma abominação. Esses cristãos primitivos foram verdadeiros cristãos; os modernos são mais pagãos que qualquer dos antigos idólatras. Os primeiros eram o que são os teosofistas de nossos dias; do século IV em diante se tornaram heleno-judaicos, gentios, tendo a menos a filosofia neoplatônica. Leiamos o que Minutius Felix dizia aos romanos no século III:

> "Vocês imaginam que nós, cristãos, escondemos o que adoramos *porque não possuímos templos e altares*? Mas que imagem de Deus levantaríamos desde que o homem é em si mesmo a imagem de Deus? Que templo poderíamos levantar à Divindade, quando o Universo, que é sua obra, pode dificilmente contê-la? Como colocar o Onipotente num só edifício? Não é melhor consagrarmos um templo à Divindade em nosso coração e em nosso espírito?"

Mas, nessa época, os cristãos do tipo de Minutius Felix tinham presente na memória os ensinamentos do Mestre Iniciado, de não rezar nas sinagogas e nos templos, como fazem os hipócritas, "para serem vistos pelos homens". Lembravam-se da declaração de Paulo, o Apóstolo Iniciado, o "Mestre Construtor", que o homem era o único templo de Deus no qual o Espírito Santo – o espírito de Deus – permanecia. Obedeciam aos verdadeiros preceitos cristãos, enquanto os cristãos modernos obedecem somente aos cânones arbitrários de suas respectivas Igrejas e às regras que lhes deixaram os seus antepassados. "Os teosofistas são notoriamente ateus", diz um escritor do *Church Chronicle*; "não se conhece um só que assista ao serviço divino... a Igreja é para eles odiosa"; e, repentinamente, dando livre curso à sua cólera, começa a atacar com palavras os infiéis, os pagãos M.S.T.

O homem da Igreja moderna também atira pedras no teosofista, como o fizeram os seus antepassados, os fariseus da "Sinagoga dos Libertinos" quando apedrejaram Etienne por ter dito o que dizem alguns teosofistas cristãos, isto é, que o "Altíssimo não reside num templo construído por mãos de homens" – e não hesita, como o fizeram esses juízes iníquos, em subornar testemunhas para nos acusar.

VI

A teoria do "mito solar" aparece atualmente tão repisada *ad nauseam* que a ouvimos repetida dos quatro pontos cardeais do orientalismo e do simbolismo, e aplicada sem discernimento a todas as coisas e a toda religião, excetuando-se a igreja cristã e as religiões do Estado. Não há dúvida de que o Sol foi, na antiguidade, e desde tempos imemoriais, o símbolo da divindade criadora, não somente entre os parses, mas também em outras nações; o mesmo acontece nos cultos ritualistas: como o era antigamente, continua a sê-lo em nossos dias. Nossa estrela central é o Pai para os *Pro-Fanos*; para o *Epoptae* é o Filho da Divindade Incognoscível. Ragon, o maçom já citado, nos diz: "o Sol era a mais sublime e natural das imagens do Grande Arquiteto; igualmente, a mais engenhosa de todas as alegorias pelas quais o homem moral e bom (*o verdadeiro sábio*) simbolizara a *Inteligência* infinita, sem limite". Com exceção da última afirmação, Ragon tem razão. Ele nos mostra o símbolo gradualmente se afastando do ideal, assim concebido e representado, acabando por se tornar no espírito de seus adoradores ignorantes, não mais um símbolo, mas o próprio Sol. O grande escritor maçônico prova em seguida que o Sol *físico* é que era considerado como o Pai e o Filho pelos primeiros cristãos. Diz ele:

> "Ó Irmãos Iniciados, vocês podem se esquecer que nos templos da religião existente, uma grande *lâmpada* brilha noite e dia? Ela está suspensa diante do altar principal, lá onde está depositada a arca do Sol. Uma outra *lâmpada* brilhando diante da Virgem-Mãe é o emblema da claridade da *Lua*. Clemente de Alexandria nos faz saber que os egípcios foram os primeiros a estabelecer o uso religioso das *lâmpadas*... Sabe-se que o mais sagrado e o mais terrível dos deveres era confiado às Vestais. Se os templos maçônicos são iluminados por três luzes astrais: o Sol, a Lua e a estrela geométrica, e por três luzes vitais: o hierofante e seus dois epíscopes (vigilantes), é porque um dos pais da maçonaria, o sábio Pitágoras, habilmente sugeriu que não deveríamos falar das coisas divinas sem estarmos esclarecidos pela luz. Os pagãos celebravam a festa das lâmpadas, chamadas 'lampadofórias', em honra de Minerva, Prometeu e Vulcão. Mas Lactâncio e alguns dos primeiros padres da nova fé se lamentavam amargamente da introdução pagã das lâmpadas nas igrejas. Lactâncio escreve: '*Se eles se dignassem contemplar essa luz que nós chamamos Sol, reconheceriam desde logo que Deus não precisa de suas lâmpadas*'; e Vigilantus acrescenta: 'Sob o pretexto de religião, a Igre-

ja estabeleceu o costume dos gentios, de acender mesquinhas velas, enquanto o Sol lá está nos iluminando com mil luzes. Pode lá ser uma grande honra ao Cordeiro de Deus representar-se o Sol dessa maneira, quando, ocupando o *meio do Trono* (o Universo), ele o enche com o resplendor de sua Majestade?' Essas passagens nos provam que nesses dias a igreja primitiva adorava o Grande Arquiteto do Universo em sua imagem, o Sol Único, o único de sua espécie (*A Missa e seus Mistérios*)."

Realmente, enquanto os candidatos cristãos devem pronunciar o juramento maçônico virados para o leste, e seu "Venerável" permanece no lado oriental (porque os neófitos assim faziam nos Mistérios pagãos), a Igreja mantém, por sua vez, o mesmo rito. Durante a Grande Missa, o altar-mor (*ara maxima*) é ornado com o tabernáculo ou *pyx* (a caixa na qual o Santo Sacramento é fechado) e com seis lâmpadas; o significado exotérico do tabernáculo e seu conteúdo, símbolo do "Cristo-Sol", é a representação do luminar resplandecente, e as seis velas representam os seis planetas (os primeiros cristãos não conheciam mais que esses), três à sua direita e três à sua esquerda. Isso é uma cópia do candelabro de sete braços da Sinagoga, cujo significado é idêntico. *Sol est Dominus Meus* (o Sol é meu Senhor) diz Davi no Salmo 95, e isso é traduzido muito engenhosamente na versão autorizada: "O Senhor é um grande Deus, um grande Rei, acima de todos os deuses!" (v. 3), ou na realidade, dos planetas. Agostinho Chalis é mais sincero quando diz em seu livro *Philosofie des Religions Comparées*: "Todos são *dev* (demônios) nesta terra, menos o Deus dos Videntes (Iniciados), e se em Cristo vocês nada mais veem que o Sol, então adoram um *dev*, um fantasma, tal como o são todos os Filhos da Noite".

Sendo o leste o ponto cardeal de onde surge o astro do dia, o Grande Dispensador e sustentáculo da vida, criador de tudo o que existe e respira neste globo, não é de admirar que todas as nações da Terra tenham adorado nele o agente visível do Princípio e da Causa invisível, e que a missa seja dita em honra daquele que é o dispensador das *messis* ou colheitas. Mas, entre a adoração do Ideal em si e adoração do símbolo, há um abismo. Para o egípcio douto, o Sol era o olho de Osíris, não o próprio Osíris; o mesmo se dava com os sábios adoradores de Zoroastro.

Para os primeiros cristãos, o Sol tornou-se a divindade *in toto* e, pela força da casuística do sofisma e dos dogmas que não devem ser discutidos, as igrejas cristãs modernas acabaram por obrigar pessoas cultas a aceitar essa opinião. As igrejas hipnotizaram-nas numa crença de que seu Deus é a única Divindade vivente, o criador do Sol, não o próprio Sol, demônio adorado pelos "pagãos". Mas que diferença há entre um demônio e um Deus antropomórfico, tal como é representado nos Provérbios de Salomão? Esse Deus, que ameaça com palavras como estas: "Eu rirei de vossas calamidades, escarnecerei dos vossos temores" (Prov. I. 27), salvo se os pobres, os desesperados, os ignorantes clamarem por Ele quando seus "temores os assolam como uma calamidade" e quando a "ruína lhes cai como um turbilhão". Comparemos esse Deus com o Grande Avatar, sobre o qual foi fundada a lenda cristã, e vamos identificá-la com o Grande Iniciado que disse: "Benditos sejam os que choram, pois serão consolados". Qual o resultado dessa comparação?

Eis aí como justificar a alegria diabólica de Tertuliano, que sorria e se regozijava com a ideia de seu parente próximo, "infiel", assando no fogo eterno, assim como o conselho dado por Hieronymus ao cristão convertido, de calcar aos pés o corpo de sua mãe pagã, se ela procurar impedir que ele a abandone para sempre a fim de seguir a Cristo...

VII

O ritual do Cristianismo primitivo – como já está suficientemente demonstrado – deriva da antiga Maçonaria. Esta é, por sua vez, a herdeira dos mistérios, quase desaparecidos nessa época. Diremos algumas palavras sobre estes: É bem conhecido de toda a antiguidade que, a par da adoração popular feita de letra morta e formas vazias das cerimônias exotéricas, cada nação tinha o seu culto secreto, designado na sociedade como sendo os Mistérios. Strabon, entre outros, dá seu testemunho dessa afirmação (*Georg Lib X*). "Ninguém que não estivesse preparado por um treino particular era admitido aos Mistérios. Os neófitos, instruídos na parte superior dos Templos, eram iniciados, nas criptas, ao Mistério final. Essas instruções constituíam a última herança, a última sobrevivência da antiga sabedoria, e é sob a direção de Altos Iniciados que os

Mistérios eram *representados*. Empregamos de propósito o termo *representado*, pois que as instruções *orais, em voz baixa*, eram dadas somente nas criptas, em segredo e num silêncio solene. As lições sobre teogonia e cosmogonia eram expressas por representações alegóricas; o *modus operandi* da evolução gradual do Cosmos, dos mundos e finalmente de nossa Terra, dos deuses e dos homens, tudo isso era comunicado simbolicamente. As grandes representações públicas, que eram dadas durante as festas dos Mistérios, tinham por testemunha o povo que adorava cegamente as verdades ali personificadas. Somente os Altos Iniciados, os *Epoptae*, compreendiam sua linguagem e seu significado real. Tudo isso e muito mais ainda é conhecido pelos sábios.

Todas as antigas nações pretenderam saber que os Mistérios reais, concernentes ao que se chama, tão pouco filosoficamente, a criação, foram divulgados aos Eleitos de nossa raça (a quinta) por essas primeiras dinastias de Reis Divinos – "deuses na carne", "encarnações divinas ou avatares".

As últimas estrofes extraídas do Livro de Dzyan para a *Doutrina Secreta* (vol. 3, p. 27) falam dos que reinaram sobre os descendentes "nascidos do Santo Rebanho" e... "que tornaram a descer e fizeram a paz com a quinta raça, e a instruíram e ensinaram".

A frase "fizeram a paz" mostra que houve uma *luta* precedente. O destino dos atlantes em nossa filosofia e o dos pré-diluvianos na Bíblia corrobora essa ideia. Uma vez mais, e isso muitos séculos antes dos Ptolomeus, o mesmo abuso da ciência sagrada dominou lentamente os Iniciados do santuário egípcio. Os ensinamentos sagrados dos deuses, mesmo mantidos em toda sua pureza durante séculos inumeráveis, a par da ambição pessoal e do egoísmo dos Iniciados, foram de novo corrompidos. O significado dos símbolos encontrou-se muitas vezes profanado por interpretações inconvenientes, e, bem cedo, os mistérios de Elêusis foram os únicos que permaneceram puros de toda alteração e de toda inovação sacrílega. Eram celebrados em Atenas em honra de Deméter (Ceres) ou da natureza, e foi lá que a elite intelectual da Grécia e da Ásia Menor foi iniciada. No seu quarto livro, Zózimo afirma que esses iniciados pertenciam a toda humanidade,[58] e Aristides chama aos Mistérios: "O Templo comum de toda a Terra".

Foi para manter alguma lembrança desse "templo" e reconstruí-lo oportunamente que alguns eleitos, dentre os Iniciados, foram escolhidos e colocados de reserva. Isso foi cumprido pelo seu Grande Hierofante em cada século, desde a época em que as alegorias sagradas mostraram os primeiros sintomas de profanação e de decadência.

Finalmente, os Grandes Mistérios de Elêusis tiveram o mesmo destino dos outros. Sua superioridade primordial e seu alvo primitivo são descritos por Clemente de Alexandria, que nos mostra como os Grandes Mistérios divulgavam os segredos e o modo da construção do Universo, sendo isso o começo, o fim e o objetivo máximo do conhecimento humano. E mostrava-se ao Iniciado a natureza de todas as coisas tais como são

58. Em *De Nat, Deorum, lib. I,* Cícero diz: "Omitto Elesinem sactam illam et augustam, ubi iniatur gentes ororum ultime".

(*strom* 8). Esta era a gnose pitagórica: "o conhecimento das coisas tais como são".

Epiteto fala dessas instruções em termos os mais elevados: "Tudo que lá está estabelecido, o foi por nossos Mestres para instrução dos homens e correção de nossos costumes" (*apud Arriam. Dissert. lib.* cap. 21); e Platão diz o mesmo em seu *Phedon*; o objetivo dos Mistérios era restabelecer a alma em sua primitiva pureza, *esse estado e perfeição que ela havia perdido.*

VIII

Mas chegou a época em que os Mistérios se desviaram de sua pureza, como aconteceu com as religiões exotéricas. Isso começou quando o Estado, sob o conselho de Aristogiton, entendeu de fazer dos Mistérios de Elêusis uma constante e fecunda fonte de rendas. Promulgou-se uma lei para esse efeito. Daí por diante, ninguém podia ser iniciado sem pagar certa soma pelo privilégio. O que até então era adquirido ao preço de incessantes esforços, quase sobre-humanos, em direção à virtude e à perfeição, tornou-se adquirível com ouro. Os laicos – e mesmo os sacerdotes – ao aceitarem essa profanação, perderam o antigo respeito pelos Mistérios interiores e isso acabou por conduzir a ciência sagrada à profanação. A ruptura feita no véu alargou-se em cada século e, mais do que nunca, os sublimes Hierofantes, temendo a publicação e alteração dos segredos mais santos da natureza, trabalharam para eliminá-los do programa *interior*, limitando seu pleno conhecimento a um pequeno número.

Aqueles que foram colocados de reserva tornaram-se os únicos guardiões da divina herança das idades passadas.

Sete séculos mais tarde, encontramos Apuleio, apesar de sua sincera inclinação para a magia e a mística, escrevendo no seu livro *Idade de Ouro* uma sátira amarga contra a hipocrisia e o deboche de certas ordens de sacerdotes, meio-iniciados. Por ele nos cientificamos também de que no seu tempo (século II d. C.), os Mistérios se tornaram tão comuns que pessoas de todas as condições e classes, em todas as nações, homens, mulheres e crianças, *todos eram iniciados*! Nesse tempo, a iniciação era tão necessária quanto o batismo em nossos dias, e correspondia ao que é hoje o batismo: uma cerimônia sem significação e de pura forma. Ainda mais tarde, os fanáticos da nova religião deitaram suas pesadas mãos sobre os Mistérios.

Os *Epoptae*, aqueles "que viam as coisas tais quais são", desapareceram um a um, emigrando para regiões inacessíveis aos cristãos. Os *mistos* (mistos ou velados), "esses que veem as coisas tais como parecem ser", tornaram-se em seguida, rapidamente, os únicos senhores da situação.

São os primeiros, os "colocados de reserva", que mantêm os verdadeiros segredos, e são os *mistos*, os que só conhecem as coisas superficialmente, que assentaram a pedra fundamental da *Franco-maçonaria moderna*. Dessa fraternidade primitiva de maçons, semipagãos, semiconvertidos, nasceu o ritual cristão e a maior parte dos dogmas.

Os *epoptae* e os *mistos* são ao mesmo tempo designados pelo nome de maçons, pois todos, fiéis ao juramento feito a seus Hierofantes e "Reis" desaparecidos há muito, reconstruíram seus *templos*; os *epoptae*, seu templo "inferior", e os *mistos*, seu templo "superior", pois tais eram os nomes com os quais eram de maneira não respeitosa designados em certas regiões, tanto na antiguidade como em nossos dias. Sófocles fala, em *Electra* (ato II) sobre os fundamentos de Atenas – o lugar dos Mistérios de Elêusis – como sendo o "edifício sagrado dos deuses", isto é, construído pelos deuses. A iniciação era descrita como um "passeio no templo", e a "purificação" ou "reconstrução do templo" se referia ao corpo do Iniciado na sua última e suprema prova. (Ver o Evangelho de São João, 2:19.) A doutrina exotérica era algumas vezes designada pelo nome de "templo", e a religião popular exotérica pelo nome de "cidade". *Construir um templo* significava fundar uma escola exotérica; *construir "um templo na cidade"* se referia ao estabelecimento de um culto público. Por conseguinte, os verdadeiros sobreviventes dos maçons são esses do templo *Inferior*, ou a Cripta, lugar sagrado da iniciação; são os únicos guardiões dos verdadeiros segredos maçônicos agora perdidos para o mundo.

De bom grado concedemos à fraternidade moderna dos maçons o título de "construtores" do "*templo Superior*", apesar de a superioridade do adjetivo dado *a priori* ser tão ilusória como a chama da sarça de Moisés nas lojas dos templários.

IX

A malcompreendida alegoria, conhecida pelo nome de descida aos infernos, causou muitos males. A "fábula" esotérica de Hércules e de Teseu descendo às *regiões infernais*; a viagem de Orfeu aos infernos encontrando o seu caminho graças ao poder de sua lira (Ovídio, *Metamorfoses*), a viagem de Krishna e finalmente do Cristo que "desceu aos infernos" e "ressuscitou dos mortos" ao terceiro dia, todas se tornaram irreconhecíveis pelos "adaptadores" não iniciados dos ritos pagãos, que os transformaram em ritos e dogmas da Igreja.

Do ponto de vista astronômico, essa *descida aos infernos* simboliza o Sol durante o equinócio do outono. Imaginava-se, então, que ele abandonava as altas regiões siderais e travava um combate com o demônio das trevas, que nos tira a melhor parte de nossa luz. Concebia-se o Sol sofrendo uma morte temporária e descendo às regiões infernais. Mas sob o ponto de vista místico, essa alegoria simboliza os ritos da iniciação nas criptas do templo, chamadas o "mundo inferior" (*Hades*). Baco, Héracles, Orfeu, Asclépio e todos os outros visitantes da cripta, desciam aos infernos, de onde ressurgiam ao terceiro dia, pois todos eram Iniciados e "construtores do templo inferior". As palavras de Hermes dirigidas a Prometeu encadeado sobre as rochas áridas do Cáucaso – Prometeu ligado pela ignorância e devorado pelo abutre das paixões – aplicavam-se a cada neófito, a cada *Chrestos* durante as provas. "Não há fim para o seu suplício até que Deus (ou um deus) apareça e alivie as suas dores, consentindo em descer contigo ao tenebroso *Hades*, às sombrias profundezas do Tártaro". (Ésquilo: *Prometeu*, 1.027 e ss.). Isso quer simplesmente dizer que, enquanto Prometeu (ou o homem) não encontrar o "deus" ou o Hierofante (o Iniciador) que desça voluntariamente com ele às criptas da iniciação e o dirija em torno do Tártaro, o abutre das paixões não cessará de devorar os seus órgãos vitais.[59]

Ésquilo, como iniciado, não podia dizer mais do que isso! Mas Aristófane, menos piedoso, ou mais audacio-

---

59. A região obscura da cripta, na qual, supunha-se, o candidato à iniciação rejeitava para sempre suas más paixões ou maus desejos. Provêm daí todas as alegorias contidas nas obras de Homero, de Ovídio, de Virgílio, etc. que os sábios modernos tomam no seu sentido literal. O Phlegetonte era o rio no Tártaro, onde o Iniciado era mergulhado três vezes pelo Hierofante, depois do que estavam terminadas as provas. O homem havia nascido de novo; tinha deixado para sempre o velho homem de pecado na corrente sombria, e ao terceiro dia, quando saía do Tártaro, era uma *individualidade*; a *personalidade* estava morta. Toda alegoria (como a de Ixion, Tântalo, Sísifo, etc.,) é a personificação de alguma paixão humana.

so, divulga o segredo aos que não estão cegados pelos preconceitos por demais enraizados, em sua sátira imortal *As Rãs*, sobre a "descida aos infernos" de Heracles. Lá encontramos o coro dos bem-aventurados (os Iniciados), os Campos Elísios, a chegada de Baco (o deus Hierofante) com Teracles, a recepção com as tochas acesas, emblema da NOVA VIDA e da RESSURREIÇÃO das trevas da ignorância humana para a luz do conhecimento espiritual, a VIDA ETERNA. Cada palavra da brilhante sátira atesta a intenção interior do poeta:

> Animai-vos, tochas ardentes... pois as vens
> Agitando em tua mão, Jacó,[60]
> Estrela fosforescente do rito noturno.

As iniciações finais sempre eram feitas à noite. Falar-se, por conseguinte, de alguém que houvesse descido aos infernos equivalia, na antiguidade, a designá-lo como um *Iniciado Perfeito*. Aos que se sentirem inclinados a rejeitar essa explicação, eu farei uma pergunta: Podem eles nos revelar, nesse caso, o significado de uma frase contida no sexto livro de Eneida de Virgílio? Que quer dizer o poeta senão o que exprimimos acima, quando, introduzindo o venerável Anquises nos Campos Elísios, ele o induz a aconselhar seu filho Enéas a realizar a viagem à Itália... onde teria que combater, em Latium, um povo rude e bárbaro; mas, acrescenta ele, "não se aventure a isso antes de ter concluído *a descida aos infernos*", quer dizer, "antes de ser um Iniciado".

60. Outro nome de Baco. (N. da T.)

Os clérigos benévolos que, sob a menor das provocações, estão sempre prontos a nos mandar para o Tártaro e para as regiões infernais, não suspeitam o bom voto formulado a nosso respeito, e qual o caráter de santidade que deveremos adquirir para poder entrar num local tão sagrado.

Os pagãos não eram os únicos a ter os seus Mistérios. Belarmino (*de Eccl. Triumph lib.* II, cap. 14) afirma que os primeiros cristãos adotaram, dentre o conjunto das cerimônias pagãs, o costume de reunir-se na igreja durante as noites que precediam suas festas para ali passar em vigília, ou "vésperas".

Suas cerimônias, no começo, foram realizadas com pureza e a mais edificante santidade, mas nessas reuniões não tardaram em infiltrar-se abusos de imoralidade, e os bispos julgaram melhor suprimi-las. Temos lido dúzias de livros que falam da licenciosidade que reinava nas festas religiosas pagãs. Cícero (*de Leg Lib.* II cap. 15) nos mostra Diagondas, o Aebano, que não encontra, para remediar tais desastres nas cerimônias, outras medidas senão a supressão dos próprios mistérios. Entretanto, quando comparamos as duas espécies de celebrações – os mistérios pagãos santificados desde tempos remotos, muitos séculos antes de nossa era, e os ágapes cristãos de uma religião apenas nascida e com pretensões a tão grande influência purificadora sobre seus conversos – não podemos deixar de lamentar a cegueira mental dos seus defensores cristãos, de citar em sua intenção esta pergunta de Roscommon:

> Se vocês começam com tal pompa e tal ostentação,
> Por que é tão mesquinho e tão baixo o fim de vocês?

X

O Cristianismo primitivo – tendo derivado da Maçonaria primitiva – também tinha seus sinais, suas palavras de passe e seus graus de iniciação. "Maçonaria" é um termo antigo, e seu emprego não vai muito além da nossa era. Paulo intitula-se "mestre construtor", e era um deles.

Os antigos maçons eram designados por nomes diferentes, a maior parte dos ecléticos alexandrinos, os teósofos de Amonnius Saccas e os últimos neoplatônicos eram todos virtualmente maçons. Todos estavam ligados pelo juramento do segredo. Todos se consideravam uma fraternidade e tinham também seus sinais de reconhecimento. Os ecléticos ou filaleteos contavam em suas fileiras com os sábios mais capazes e mais eruditos da época, como também diversas cabeças coroadas. O autor da *Filosofia Eclética* assim se exprime:

"Suas doutrinas foram adotadas pelos pagãos e pelos cristãos na Ásia e na Europa, e durante algum tempo tudo parecia favorável a uma fusão geral das crenças religiosas. Foram adotadas pelos imperadores Alexandre, Severo e Juliano. Sua influência predominante sobre as ideias religiosas excitaram o ciúme dos cristãos de Alexandria; a escola foi transferida para Atenas, e em seguida fechada pelo imperador Justiniano. Seus instrutores *se retiraram para a Pérsia,*[61] onde tiveram numerosos discípulos".

Outros pormenores poderiam ser interessantes. Sabemos que os Mistérios de Elêusis sobreviveram a todos os outros. Enquanto os cultos secretos dos deuses menores, como os *Curates*, os *Dactyli*, os adoradores de Adônis, de *Kbiri*, e mesmo esse do velho Egito, desapareciam sob a mão vingativa e cruel do desumano Theodósio,[62] os Mistérios de Elêusis não podiam ser tão facilmente suprimidos. Eles eram, na verdade, a religião da humanidade e brilhavam com todo seu antigo esplendor, senão na sua pureza primitiva. Seriam necessários vários séculos para aboli-los e eles se perpetuaram até o ano 396 da nossa era. Foi então que os "Construtores do Templo Superior, ou do Templo da Cidade", apareceram em cena pela primeira vez, e trabalharam sem descanso para introduzir seu ritual e seu dogma particular na Igreja nascente, sempre contendora e combativa. O tríplice "Santus" da missa da igreja cató-

61. Podemos acrescentar: e mais além, na Índia, na Ásia central, pois encontramos sua influência em todos os países asiáticos.

62. O assassino dos tessalônicos, que foram massacrados por esse piedoso filho da Igreja.

lica romana é o S∴S∴S∴ daqueles maçons primitivos, e é também o prefixo moderno de seus documentos ou de todo "balaustre";[63] é a inicial de *Salutem* ou *Saúde* e por isso foi dito acertadamente por um maçom: "Essa tríplice saudação maçônica é a mais antiga entre os maçons". (Ragon)

63. Balaustre – termo maçônico que significa trabalho escrito.

XI

Mas os enxertos maçônicos na árvore da religião cristã não se limitam a isso. Durante os Mistérios de Elêusis, o vinho representava BACO e o pão ou trigo, CERES.[64] Ora, Ceres ou Deméter era o princípio

64. Baco é certamente de origem hindu. Pausânias o mostra como sendo o primeiro que conduziu uma expedição contra a Índia e que construiu uma ponte sobre o Eufrates. "O cabo que servia para unir as duas margens opostas é mostrado hoje, diz um historiador, tecido de cepos de vinha e de ramos de hera restaira" XXXIV, 4). Ariano e Quinto Cúrcio explicavam a alegoria do nascimento de Baco, saído da coxa de Zeus, dizendo que ele havia nascido no monte Meru, e nós sabemos que Eratósthenes e Strabon acreditavam que o Baco hindu fora inventado pelos cortesãos de Alexandre, simplesmente para agradá-lo, pois que ele se comprazia em pensar que havia conquistado a Índia, tal qual se supunha havia feito Baco. Mas, por outro lado, Cícero menciona o Deus como sendo filho de Thyne e de Nisus; Dionísios significa o Deus Dis, do monte Nys da Índia. Baco coroado de hera ou Kissos, não é senão Krishna, um de cujos nomes era Kissen. Dionísios era, antes de tudo, o Deus com o qual se

produtor feminino da Terra, a esposa do pai Aether ou Zeus; e Baco, o filho de Zeus-Júpiter, era seu pai manifestado. Noutros termos, Ceres e Baco eram as personificações da substância e do espírito, os dois princípios vivificantes na natureza e sobre a Terra. O Hierofante Iniciador apresentava simbolicamente aos candidatos, antes da revelação final dos mistérios, o vinho e o pão, que estes comiam e bebiam para testemunhar que o espírito devia vivificar a matéria, isto é, que a Divina Sabedoria do Eu Superior devia penetrar no Eu interior ou alma, tomar posse dele, autorrevelar-se.

Esse rito foi adotado pela Igreja cristã. O Hierofante, que então era chamado o "Pai", tornou-se agora – menos o conhecimento – o padre, o "pai", que administra a mesma comunhão. Jesus se chama a si mesmo a vinha, e a seu "Pai", o Vinhateiro; suas palavras na Última Ceia mostram seu perfeito conhecimento do significado simbólico do pão e do vinho, assim como sua identificação com os *logoi* dos antigos: "Aquele que comer minha carne e beber meu sangue, terá a vida eterna"... E acrescenta: "as palavras (*rhemata*, ou palavras secretas) que vos dou, são Espírito e Vida". Elas o são, porque "é o Espírito o que vivifica". Essas *rhemata* de Jesus são, na verdade, as palavras secretas *de um Iniciado.*

---

contava para libertar as almas dos homens de suas prisões de carne: Hades ou o Tártaro humano, num desses sentidos simbólicos. Cícero chama a Orfeu "um filho de Baco", e aqui encontramos uma tradição que, não somente representa Orfeu como vindo da Índia (diziam-no moreno de pele tisnada), mas também o identifica com Arjuna, o "chela" e filho adotivo de Krishna. (Ver *Five Years of Theosophy*.)

Mas entre esse nobre rito, tão antigo como o simbolismo, e sua última interpretação antropomórfica, conhecida agora como transubstanciação, há um abismo de sofisma eclesiástico. Quanta força há na exclamação: "Como vocês são infelizes, homens da Lei, pois *rejeitaram a chave do conhecimento*" (e hoje nem sequer permitem que a gnose seja dada aos outros), e eu, com força dez vezes maior, digo que essas palavras jamais foram de maior aplicação que em nossos dias.

Sim, essa *gnose* "vocês não a deixaram penetrar em vocês mesmos, e os que quiseram e querem atingi-la, foram por vocês impedidos", e ainda os impedem.

Os sacerdotes modernos não são os únicos que merecem essa censura. Os maçons, os descendentes ou, em todo caso, os sucessores dos "construtores do Templo Superior" da época dos Mistérios, e que deviam ter um melhor conhecimento, escarnecem dos seus irmãos que se lembram de sua verdadeira origem e os desprezam. Diversos grandes sábios e cabalistas modernos, que são maçons e que poderíamos citar, não recebem de seus irmãos senão um desdenhoso sacudir de ombros. É sempre a mesma velha história. Mesmo Ragon, o mais erudito dentre os maçons de nosso século, queixou-se nestes termos: "Todas as antigas narrativas atestam que as iniciações na antiguidade continham um cerimonial imponente, tornado memorável para sempre pelas grandes verdades divulgadas e pelos conhecimentos que dele resultaram. Entretanto, *alguns maçons modernos de meio-saber* se apressam em tratar de charlatães todos os que, felizmente, se lembram dessas antigas cerimônias e desejam aplicá-las" (*Curso Filos.*)

XII

V*anitas, vanitatum*: Nada é novo sob o Sol. As *litanias da Virgem Maria* o provam da maneira mais categórica. O Papa Gregório I introduziu a adoração da Virgem Maria, e o Concílio de Calcedônia proclamou-a Mãe de Deus. Mas o autor das Litanias não teve receio (talvez por culpa de sua inteligência) de orná-las com títulos e adjetivos pagãos, como o demonstrarei.

Não há um símbolo ou metáfora nessas célebres Litanias que não pertença a um mundo de deusas; todas são rainhas, virgens ou mães. Esses três títulos se aplicavam a Ísis, Rhea, Cibele, Diana, Lucífera, Lucina, Luno, Tellus, Latone, Triformis, Prosérpina, Hécate, Juno, Vesta, Ceres, Leucoteia, Astante, a celeste Vênus, e Urânia, Alma Vênus, etc.

Ao lado do significado primitivo da Trindade (significado esotérico, ou o do Pai, da Mãe e do Filho), não encontramos nós o *Trimurti* oriental (Deus de três faces) que no Panteão maçônico representa: "o Sol, a Lua e o Venerável"? Ligeira alteração, em verdade, do Norte e do germânico Fogo, Sol e Lua?

Talvez tenha sido o íntimo conhecimento disso que fez o maçom Ragon escrever a seguinte profissão de fé:

> "Para mim, o filho é o mesmo que Hórus, filho de Osíris e de Ísis; ele é o Sol que, a cada ano, salva o mundo da esterilidade, e todas as raças da morte universal".

E ele continua falando das litanias da Virgem Maria, dos templos, das festas, das missas e dos serviços da Igreja, das peregrinações, oratórios, jacobinos, franciscanos, vestais, prodígios, *ex-voto*, nichos, estátuas, etc.

De Marville, um grande hebraísta, tradutor da literatura rabínica, observa que os judeus dão à Lua todos os nomes que se acham nas *Litanias* e são utilizados para glorificar a Virgem. Encontra nas *Litanias de Jesus* todos os atributos de Osiros – o Sol eterno – e de Hórus – o Sol anual.

E ele o prova.

Mater Christi é a mãe do "Redentor" dos antigos maçons, que é o *Sol*. Entre os egípcios, os *hoi polloi* pretendiam que o Menino, símbolo da grande estrela central, Hórus, era o Sol de Osireth e Oseth, cujas almas, depois de sua morte, haviam animado o Sol e a Lua. Com os fenícios, Ísis se tornou Astarté, nome sob o qual adoravam a Lua personificada por uma mulher ornada de chifres que simbolizavam o crescente. Astarté era representada no equinócio do outono, depois que seu esposo (o Sol) tinha sido vencido pelo Príncipe das Trevas, e descido aos infernos, chorando a perda desse esposo que é também seu filho, tal qual o faz Ísis chorando seu esposo, irmão e filho (Osíris e Hórus). Astarté tem em sua mão uma vareta cruciforme, uma autêntica cruz, e chora sobre o crescente da Lua. A Virgem Maria cristã é com frequência representada na mesma atitude, de pé sobre a Lua nova, cercada de estrelas e chorando o seu filho: *justa crucem lacrymosa dum pendebat filius* (ver o *Stabat Mater Dolorosa*). Não está aí a sucessora de Astarté de Ísis? – pergunta o autor.

Realmente basta recitarmos as *Litanias da Virgem* da Igreja Católica Romana, para verificar que repetimos os antigos encantamentos dirigidos à Adonaia (Vênus), a mãe de Adônis, o Deus solar de tantas nações; à Mylitta (a Vênus assíria), deusa da Natureza; à Alilat que os árabes simbolizam por dois chifres lunares; à Selene, mulher e irmã de Hélios, o deus Sol dos gregos; ou à *Magna Mater*... honestíssima, puríssima, castíssima, a Mãe Universal de todos os Seres, porque é a NATUREZA MÃE.

Maria é realmente a Ísis Myrionymos, a deusa mãe dos dez mil nomes! Como o Sol que era Febo nos céus, tornou-se Apolo na Terra e Plutão nas regiões mais inferiores (depois do pôr do sol), do mesmo modo a Lua que era Feba nos céus, Diana na Terra (Gaia, Latone, Ceres), tornou-se Hécate e Prosérpina no Hades. Será espantoso que Maria seja chamada *Regina Virginum*, "Rainha das Virgens", e *castíssima*, "a mais casta", quando as próprias orações que lhe são dirigidas às seis horas da manhã e da tarde, foram copiadas daquelas cantadas pelos gentios (pagãos), *às mesmas horas*, em honra de Feba e de Hécate? Sabemos que os versos das *Litanias da Virgem Stella Matutina* é uma cópia fiel do verso que se encontra nas Litanias dos *Triformis* dos pagãos. Foi o Concílio que condenou Nestorius, por ter designado, pela primeira vez, Maria como a "Mãe de Deus", *Mater Dei*.

Mais tarde teremos algo a dizer sobre essas famosas Litanias da Virgem, e demonstraremos plenamente sua origem. Colheremos as provas extraídas dos clássicos e dos modernos à medida que avançarmos, e completaremos o conjunto com os *Anais* das religiões, tais como se encontram na doutrina esotérica. Enquanto esperamos, incorporaremos algumas outras exposições e daremos a etimologia dos termos, os mais sagrados, do ritual eclesiástico.

XIII

Prestemos alguns momentos de atenção às assembleias dos "Construtores do Templo Superior" dos primeiros tempos do Cristianismo. Ragon nos mostrou plenamente a origem dos seguintes termos:

a) "A palavra "Missa" vem do latim *Messis* – "colheita", de onde o nome de *Messias*, aquele que faz amadurecer as colheitas – "Cristo-Sol" .

b) "A palavra "Loja", da qual se servem os maçons, fracos sucessores dos Iniciados, toma sua raiz em *loga* (*loka* em sânscrito), uma localidade e um *mundo*; e do grego *logos* – a Palavra, um discurso, cujo pleno significado é: um local onde certas coisas são discutidas".

c) "As reuniões dos *logos* dos maçons, *primitivos Iniciados*, acabaram sendo chamadas *synaxis*, "assembleias" de Irmãos, com o fim de rezar e celebrar a Ceia (refeição), onde eram utilizadas somente as oferendas não manchadas de sangue, tais como os frutos e cereais. Logo depois essas oferendas foram chamadas *hostiae*, ou *hóstias* puras e sagradas, em contraste com os sacrifícios impuros (como os prisioneiros de guerra, *histes*, de origem francesa *hostage – ôtage* ou *refém*), e porque as oferendas consistiam de frutos da colheita, as primícias de *messis*. Já que nenhum Pai da Igreja menciona, como certos sábios o teriam feito, que a palavra missa vem do hebreu *missah* (*oblatum*, oferenda) essa explicação é tão boa quanto a outra. (Para um estudo profundo da palavra *missah* e *mizda*, ver os *Gnósticos*, de King, p. 124 e seguintes.)

A palavra *synaxis* tinha seu equivalente entre os gregos na palavra *agyrmos* (reunião de homens, assembleia). Referia-se à Iniciação nos Mistérios. As duas palavras *synaxis* e *agyrmos*[65] caíram em desuso, e a palavra *missa* prevaleceu e ficou.

Desejosos como estão os teólogos de velar pela sua etimologia, diremos que o termo "Messias" (*Messiah*) deriva da palavra latina *missus* (mensageiro, o enviado). Mas se assim é, essa palavra poderia também ser aplica-

65. Hesychius dá o nome de *agyrmos* ao primeiro dia da iniciação nos Mistérios de Ceres, deusa da colheita, e fala disso também sob o nome de *synaxis*. Antes que esse termo fosse adotado, os primeiros cristãos chamaram sua missa, e à celebração de seus mistérios, de *Synaxis*, palavra composta de *sun* (com) e *ago* (eu conduzo), de origem grega *synaxis*, ou assembleia.

da ao Sol, o mensageiro anual, enviado para trazer nova vida à terra e à sua produção. A palavra hebraica Messiah, *Mashiah* (o ungido, de *mashah*, ungir) dificilmente poderia ser aplicada no sentido eclesiástico, ou seu emprego ser justificado como autêntico, tanto quanto a palavra latina *missah* (missa) não deriva da outra palavra latina *mittere, missum*, "enviar" ou "reenviar". Porque o serviço da comunhão, seu coração e sua alma, se fundamenta na consagração e oblação da *hóstia* (sacrifício), um pão ázimo (fino como uma folha) representando o corpo do Cristo na Eucaristia, e sendo feito de flor de farinha, é um desenvolvimento direto da colheita ou oferendas de cereais.

Ainda mais, as missas primitivas eram ceias (a última refeição do dia), simples refeição dos romanos, em que eles "faziam abluções", eram ungidos e se vestiam do *senatory*, e foram transformadas em refeições consagradas à memória da última ceia de Cristo.

No tempo dos apóstolos, os judeus convertidos se reuniam em seus *synaxis* para ler os Evangelhos e suas correspondências (epístolas). São Justino (ano 150 de nossa era) nos diz que essas assembleias solenes eram feitas nos dias chamados "sun" (o dia do Senhor, e em latim, *dies magnus*). Nesses dias havia o canto dos salmos, a "colação" do batismo com água pura e o *ágape* da Santa Ceia "com a água e o vinho". Que tem a ver essa combinação híbrida das refeições romanas pagãs, erigidas em mistério sagrado pelos inventores dos dogmas da Igreja, com o *Messiah* hebreu, "aquele que deve descer às profundezas" (ou Hades), ou com o Messias (que é a sua tradução grega)? Como demonstrou Nork, *Jesus jamais foi ungido nem como Grande Sacerdote nem como Rei*, e é por isso que seu nome *Messias* não pode derivar da palavra equivalente hebraica, ainda mais que a palavra "ungido" ou "untado de óleo", termo homérico, é *Chri* e *Chrio*, ambos significando *untar o corpo de óleo* (ver Lucifer, 1887: *The Esoteric Meaning of the Gospels*: "O significado esotérico dos Evangelhos").

As frases seguintes de um outro maçom de grau elevado, autor da *Sources des Mesures*, resume em algumas linhas esse "imbróglio" secular: "O fato é", diz ele, "que existem *dois messias*: um, descendo por sua própria vontade ao abismo para a salvação do mundo[66] – é o Sol despojado de *seus raios de ouro* e coroado de raios negros como espinhos (simbolizando essa perda); o outro, o *Messias* triunfante, que alcançou o *ápice do arco do céu* personificado pelo *Leão da Tribo de Judá*. Em ambos os casos ele tem a cruz..."

Nas *Ambarvalias*, festas romanas dadas em honra de Ceres, o *Arval*, assistente do Grande Sacerdote, vestido de branco imaculado, colocava sobre a *hóstia* (a oferenda do sacrifício) um bolo de trigo, água e vinho; provava o vinho das libações e dava-o a provar aos outros. A *oblação* (ou oferenda) era então erguida pelo Grande Sacerdote. Essa oferenda simbolizava os três reinos da natureza: o bolo de trigo (o reino vegetal), o vaso do sacrifício ou *cálice* (o reino mineral), e o *pal* (a

66. Desde tempos imemoriais, cada Iniciado, antes de entrar na suprema prova das iniciações na antiguidade, como em nossos dias, pronunciava estas palavras sacramentais... "juro dar minha vida pela salvação de meus irmãos que constituem o conjunto da humanidade, se isso me for requerido, e morrer pela defesa da Verdade..."

estola) do Hierofante, uma de cujas extremidades pousava sobre o cálice contendo o vinho da oblação. Essa estola era feita de pura lã branca de tosão de cordeiro.

Os padres modernos repetem gesto por gesto os atos do culto pagão. Eles erguem e oferecem o pão para a consagração; benzem a água que deve ser posta no cálice, e em seguida vertem o vinho, incensam o altar, etc., e, voltando ao altar, lavam os dedos, dizendo: "Eu lavarei minhas mãos entre o Justo e rodearei teu altar, ó Grande Deusa!" (Ceres). Assim o fazem porque o antigo sacerdote pagão assim o fazia, e dizia: "Eu lavo minhas mãos (com água lustral) entre o Justo (os irmãos completamente iniciados) e rodeio teu altar, ó Grande Deusa! (Ceres)".

O Grande Sacerdote fazia três vezes a volta ao altar levando as oferendas, erguendo acima de sua cabeça o cálice coberto com a extremidade de sua estola feita de lã de cordeiro, branca como a neve...

A vestimenta consagrada, usada pelo Papa, *Pallium, tem a forma de uma manta feita de lã branca, com um galão de cruzes púrpuras*. Na Igreja grega, o padre cobre o cálice com a extremidade de sua estola pousada sobre seu ombro.

O Grande Sacerdote da antiguidade repetia três vezes, durante o serviço divino, seu "O Redemptor mundi" a Apolo – o Sol; seu "Mater Salvatoris" a Ceres – a Terra; seu Virgo Partitura" à Virgem deusa, etc. pronunciando *sete comemorações ternárias*. (Ouve, ó Maçons!). O número ternário tão reverenciado na antiguidade como em nossos dias, é pronunciado sete vezes durante a Missa; temos três *Introibo*, três *Kyrie*

Eleison, três *Mea culpa*, três *Agnus Dei*, três *Dominus vobiscum*, verdadeiras séries maçônicas. Acrescentemos-lhes os três *et cum spiritu tuo*, e a missa cristã nos oferecerá as mesmas *sete comemorações tríplices*.

Paganismo, maçonaria, teologia – essa é a trindade histórica que governa o mundo *sub-rosa*.

Podemos terminar com uma saudação maçônica, e dizer: Ilustre dignitário de Hiram Abif, Iniciado e "Filho da Viúva": o Reino das Trevas e da ignorância desaparece rapidamente, mas há regiões ainda inexploradas pelos sábios e que são tão negras quanto a noite do Egito. *Fratres sobrii estote et Vigilate*.